WAW! Y DDAEAR

Awdur: John Woodward

Addasiad Cymraeg: Bethan Mair

Ymgynghorydd: Kim Bryan

1

2

3

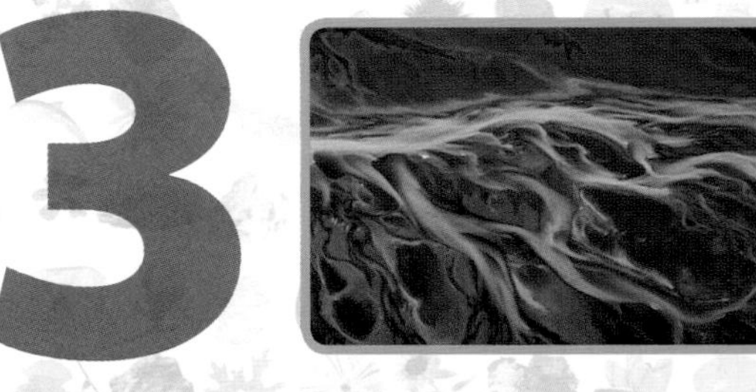

Cynnwys

MELLT FOLCANIG
Mellt yn tanio drwy gwmwl o lwch folcanig a ffrwydrodd o losgfynydd Chaiten yn Chile yn ystod storm. Dyma dystiolaeth ddramatig o'r grymoedd enfawr a luniodd ein planed.

Y Ddaear

EIN GALAETH

Mae'r Bydysawd yn cynnwys o leiaf 100 biliwn o alaethau, a phob un o'r rheiny'n cynnwys biliynau o sêr – gyda phlanedau'n cylchynu pob un, siŵr o fod. Yn ein galaeth ni, y Llwybr Llaethog, mae rhyw 500 biliwn o sêr (gan gynnwys pob un a welwn ni yn awyr y nos), ynghyd â chymylau mawr o nwy a llwch, sy'n gallu geni sêr newydd. Siâp tebyg i ddisg fflat sydd i'r Llwybr Llaethog, gydag ymchwydd yn y canol a breichiau troellog llachar yn ymestyn allan. Seren ganolig ei maint yn un o'r breichiau hyn yw ein Haul ni, tua dwy ran o dair o'r ffordd allan o'r canol. O'r Ddaear, rydyn ni'n edrych allan ar draws disg ein galaeth ac mae'r sêr sy'n agos at ei gilydd yn y canol yn edrych fel band llaethog o olau yn awyr y nos.

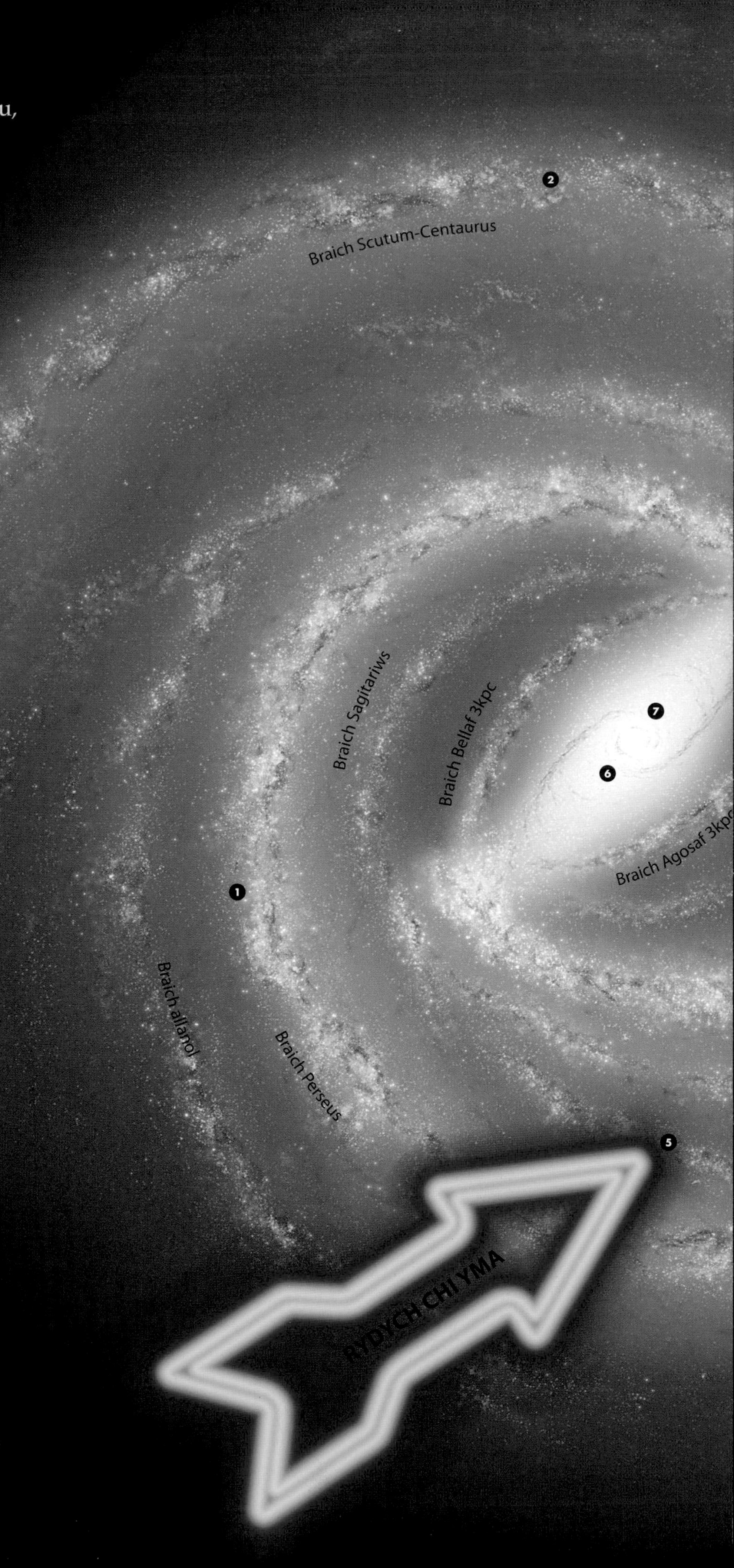

❶ NWY A LLWCH

Mae ein galaeth yn cynnwys llawer o ronynnau nwy a llwch a daflwyd allan pan ffrwydrodd sêr enfawr. Yn ystod eu hoes, mae'r sêr hyn yn cynhyrchu egni trwy ymasiad niwclear, gan droi elfennau ysgafnach yn rhai trymach. Bydd y sêr mwyaf yn cynnwys llawer o'r elfennau all ffurfio sêr a phlanedau newydd, a hyd yn oed fywyd ar y Ddaear. Caiff yr elfennau hyn eu gwasgaru drwy'r gofod pan fydd sêr yn ffrwydro.

❷ BREICHIAU TROELLOG

Mae gan alaeth y Llwybr Llaethog batrwm o freichiau troellog sy'n cylchu allan o'r ymchwydd canolog. Sêr ifanc, glas llachar, a sêr ychydig yn hŷn, mwy gwyn, sy'n gwneud y breichiau hyn, ynghyd â chymylau o nwy a llwch. Ceir sêr eraill, llai llachar, rhwng y breichiau. Mae'r holl sêr yn cylchynu'r ymchwydd canolog yn araf bach. Bydd pob un yn dilyn ei lwybr ei hun, ac mae'n cymryd cannoedd o filiynau o flynyddoedd i gyflawni un cylch.

❸ MEITHRINFA SÊR

Yn yr ardaloedd pinc yn y llun, caiff sêr eu creu mewn cymylau o nwy hydrogen. Daw darn o gwmwl ynghyd i greu pelen ddwys o nwy. Mae hyn yn denu mwy o nwy trwy ddisgyrchiant, gan wasgu'r belen yn gorff tynnach, cynhesach. Yn y pen draw, bydd hyn yn cychwyn ymateb ymasiad niwclear sy'n troi'r hydrogen yn nwy heliwm gan lewyrchu ynni ar ffurf golau seren lachar.

❹ SEREN LAS BOETH

Bydd sêr yn pefrio lliw, fel haearn poeth. Bydd rhai'n pefrio'n goch-wyn, tra bydd rhai poethach fel ein Haul ni, yn tywynnu'n felyn. Ceir sêr poethach fyth sy'n wynias, ond bydd y sêr poethaf yn lliw glas llachar. Wrth i sêr heneiddio maen nhw'n oeri ac yn newid lliw. Bydd y rhan fwyaf yn chwyddo'n 'gewri coch' sy'n lledaenu nwy yn y pen draw. Daw oes rhai o'r sêr mwyaf i ben mewn ffrwydradau enfawr a elwir yn uwchnofâu.

❺ CYSAWD YR HAUL

Pelen o nwy poeth yw'r Haul. Mae'n gwasgu atomau hydrogen at ei gilydd i ffurfio atomau heliwm, gan ryddhau llawer iawn o ynni – rydyn ni'n ei deimlo fel golau a gwres. Mae'r Haul yn gweithredu fel adweithydd ymasiad niwclear felly. Crewyd yr Haul 4.6 biliwn o flynyddoedd yn ôl, ac ymgasglodd y nwy a'r llwch oedd yn weddill o'r broses, gan ffurfio pob planed, asteroid a chomed sydd yng Nghysawd yr Haul.

❻ YMCHWYDD CANOLOG

Mae canol y galaeth yn llawn o sêr sy'n pefrio'n felyn neu'n goch. Dyma arwydd eu bod yn oerach ac yn hŷn na'r sêr glas, gwyn neu felyn golau a geir yn y breichiau troellog. Y sêr hŷn hyn sy'n ffurfio ymchwydd enfawr canol y ddisg alaethol, sydd i'w gweld o'r Ddaear fel rhan fwyaf llachar y Llwybr Llaethog. Ceir llawer iawn o nwy yn yr ymchwydd hefyd, sy'n ffurfio cylch o gwmpas y canol.

❼ TWLL DU

Yng nghanol yr ymchwydd canolog mae twll du eithriadol o fawr. Bydd y rhan fwyaf o dyllau du'n ffurfio wrth i sêr enfawr chwalu, gan greu cymaint o ddisgyrchiant fel na all golau ddianc oddi yno, hyd yn oed. Crëir twll du eithriadol pan mae llawer o sêr yn chwalu a chael eu sugno i'r twll fel dŵr i lawr plwg. Mae hi'n broses mor chwyrn nes creu llawer iawn o ynni sy'n peri i'r ardal befrio'n wynias.

❽ MATER TYWYLL

Bydd galaethau'n pefrio gan olau a grëir gan sêr ond maent hefyd yn cynnwys llawer o nwy a llwch nad yw'n taflu golau. Mae rhywbeth arall yn bodoli rhwng y bylchau tebygol rhwng galaethau, oherwydd maent yn rhyngweithio mewn ffordd sydd ond yn gallu cael ei esbonio gan ddisgyrchiant mater na allwn ni mo'i weld. Bydd seryddwyr yn galw'r deunydd hwn yn fater tywyll, ond dydyn nhw ddim yn siŵr beth ydyw. Efallai bod mater tywyll yn gyfrifol am ryw 23% o'r holl Fydysawd.

Y LLWYBR LLAETHOG

Dengys y darlun hwn y Llwybr Llaethog fel y byddai'n edrych i deithiwr o'r gofod, wrth iddo deithio uwchben y cylch mawr troellog o sêr. Er na allwn ni weld ffurf ein galaeth o'r Ddaear, gwyddwn mai dyma'i siâp – yn rhannol oherwydd bod ysbienddrychau nerthol wedi datgelu galaethau troellog tebyg yn nwfn y gofod.

3

Braich Norma

4

8

CYSAWD YR HAUL

Pelen enfawr o nwy poeth yw'r Haul. Ffurfiodd o gwmwl o nwy a llwch tua 4.6 biliwn o flynyddoedd yn ôl. Gwahanodd y nwy a'r llwch oedd yn weddill o'r broses, gan ffurfio'r wyth planed, ynghyd â dros 100 o leuadau a biliynau o asteroidau a chomedau sy'n cylchdroi yng Nghysawd yr Haul.

Peli o graig yw'r pedair planed fewnol, Gwener, Mercher, y Ddaear a Mawrth. O nwy ac iâ y gwnaed y planedau allanol, nwy yn bennaf, sef Wranws, Iau, Mawrth a Neifion, er bod ganddynt leuadau creigiog.

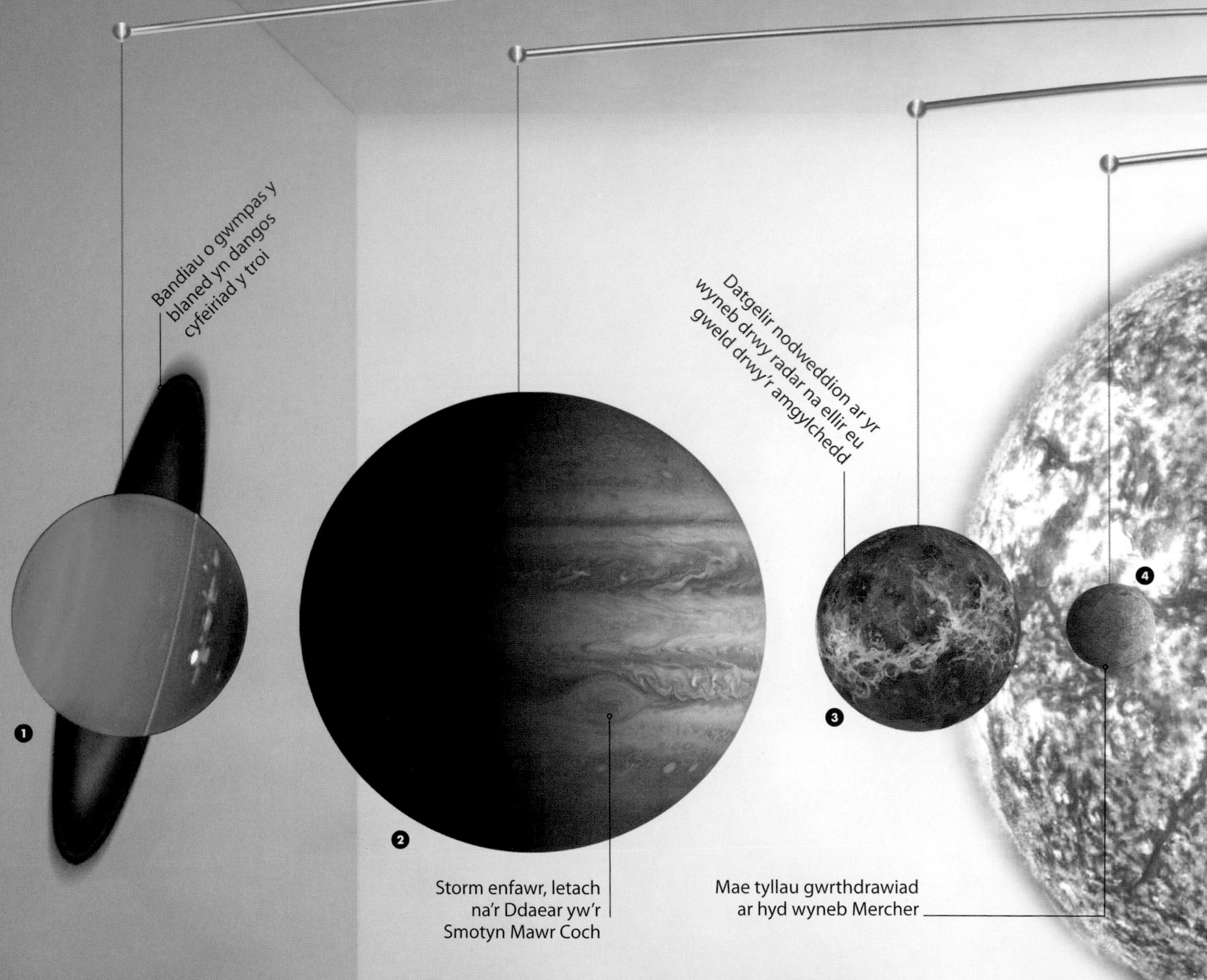

❶ WRANWS

Wranws yw'r oeraf o'r planedau, mae'n fyd pellennig, wedi'i gwneud o haenau o ddŵr a nwyon megis methan ac amonia wedi rhewi. Mae ganddi grombil creigiog ac amgylchedd sy'n cynnwys digonedd o hydrogen a hefyd 27 lleuad. Mae cylch o ronynnau llwch yn cylchdroi'r blaned o'r top i'r gwaelod, oherwydd bod y blaned yn troi ar echel lorweddol, fwy neu lai. Mae'n cymryd 84 mlynedd i Wranws gylchdroi o amgylch yr Haul.

❷ IAU

Mae'r blaned Iau bron bum gwaith yn fwy na'r holl blanedau eraill gyda'i gilydd – mae'n fwy na 1,300 o Ddaearau. Does dim arwyneb soled o gwmpas y crombil creigiog, ond yn hytrach haenau trwchus o nwyon hydrogen a heliwm sy'n codi a disgyn drwy'r amser mewn bandiau symudliw. Mae gan y cawr nwy hwn 63 o leuadau, er mai dim ond pedwar a welir yn hawdd o'r Ddaear drwy ysbienddrych.

❸ GWENER

Tua'r un maint â'r Ddaear, ond yn nes at yr Haul, mae Gwener yn blaned greigiog ac arni losgfynyddoedd sydd wedi marw. Hi yw'r blaned ddisglair sydd i'w gweld yn glir yn y bore bach a fin nos. Cuddir ei hwyneb gan amgylchedd trwchus, cymylog yn llawn o garbon deuocsid. Mae hyn yn rhwydo gwres o'r Haul gan beri mai Gwener yw'r blaned boethaf; ceir tymheredd o 464°C (867°F) – digon poeth i doddi plwm.

❹ MERCHER

Mercher yw'r lleiaf o'r planedau mewnol, a'r agosaf at yr Haul. Gorchuddir ei hwyneb creigiog â thyllau, ac mae'r amgylchedd yn denau. O ganlyniad bydd gwres yr Haul gymaint â 430°C (806°F) yma yn ystod y dydd. Yn y nos, bydd y gwres yn dianc, a'r tymheredd yn plymio cyn ised â –180°C (–292°F).

❺ YR HAUL

Seren gyffredin yw'r Haul, pelen droellog o nwyon hydrogen a heliwm. Y nwyon hyn yw pethau ysgafnaf y Bydysawd, ond er gwaetha hyn, yr Haul sydd i gyfri am 99% o'r holl Gysawd. Cywasgir y rhan fwyaf o'r nwy yng nghrombil yr Haul, lle troir hydrogen yn heliwm o ganlyniad i ymasiad niwclear – y broses sy'n cynhyrchu holl ynni'r Haul.

❻ Y DDAEAR

Hon yw'r fwyaf o'r planedau creigiog mewnol, a'r unig un ac arni unrhyw faint sylweddol o ddŵr rhedegog, sy'n caniatáu i fywyd ffynnu. Un rheswm dros hyn yw bod amgylchedd y Ddaear yn gweithredu fel blanced, gan gadw'r blaned yn ddigon cynnes i rwystro'r dŵr rhag rhewi'n gorn. Ceir y rhan fwyaf o'r dŵr mewn cefnforoedd mawr sy'n gorchuddio dwy ran o dair o'r blaned.

❼ MAWRTH

Mae Mawrth yn fyd oer iawn, sych o graig gochlyd. Mae'n bellach oddi wrth yr Haul na'n planed ni, ond gyda thymhorau, hyd dydd a thirwedd tebyg. Carbon deuocsid yw'r rhan fwyaf o'i amgylchedd, fel Gwener. Dri biliwn o flynyddoedd yn ôl, roedd yr amgylchedd yn fwy dwys, gan gadw'r blaned yn ddigon cynnes i beri i ddŵr lifo ar yr wyneb. Bellach trodd bron bob diferyn o ddŵr Mawrth yn iâ.

❽ SADWRN

Wedi'i hamgylchynu gan gylchoedd syfrdanol, cawr nwy yw Sadwrn, gyda chrombil o rew a chraig, ac yn fwy na phob planed heblaw am Iau. Mae ganddi o leiaf 60 lleuad fach. Fel Iau, hydrogen a heliwm yw Sadwrn yn bennaf. Mae'r ddwy blaned yn rhy fach i beri i'w disgyrchiant gychwyn ymasiad niwclear fyddai'n eu troi'n sêr.

❾ NEIFION

Mae'r blaned bellaf oddi wrth yr Haul yn debyg i'w chymydog, Wranws – pelen enfawr o ddŵr, methan ac amonia wedi rhewi, gyda chrombil creigiog. Mae Neifion mor bell oddi wrth yr Haul nes mai –200°C (–320°F) yw'r tymheredd ar ei hwyneb ac mae hi'n cymryd 165 mlynedd i gylchdroi unwaith. Mae ganddi un lleuad mawr, Triton, a 12 lleuad llawer llai.

ASTEROIDAU, MEINI MELLT A CHOMEDAU

Yn ogystal â'r planedau mawrion, mae biliynau o bethau llawer llai yn cylchdroi yng Nghysawd yr Haul. Darnau o graig, haearn a nicel sy'n weddill ar ôl ffurfio'r planedau yw peth ohonynt. Dyna yw'r asteroidau sy'n cylchdroi o gwmpas yr Haul rhwng Mawrth ac Iau yn bennaf. Ceir sêr gwib neu gomedau hefyd – darnau mawr o iâ a llwch sy'n gwneud cylch o gwmpas yr Haul cyn diflannu i bellafoedd y Cysawd. Bydd darnau llai o graig ac iâ yn saethu ar draws awyr y Ddaear fel sêr gwib. Weithiau disgynnant i'r ddaear fel meini mellt.

ASTEROIDAU

Mae nifer fawr iawn o asteroidau yn y Band Asteroidau rhwng cysodau Mawrth ac Iau. Mae'r rhan fwyaf yn rhy fach i gael eu henwi ond tynnwyd llun ambell un mwy, fel Gaspra ac Ida, gan longau gofod. Bydd rhod rhai asteroidau y tu allan i'r prif fand, gan gynnwys Eros, sy'n dod o fewn 22 miliwn km (14 miliwn o filltiroedd) i'r Ddaear.

TYLLAU GWRTHDRAWIAD

Mae'r twll hwn yn Arizona yn un o blith rhyw 170 a ddarganfuwyd ar y Ddaear. Fe'i ffurfiwyd pan darwyd y Ddaear gan asteroid tua 50,000 o flynyddoedd yn ôl. Mae'n 1.2km (0.75 milltir) ar draws. Byddai'r gwrthdrawiad wedi achosi ffrwydrad enfawr, gan ladd popeth yn yr ardal. Yn ffodus, prin iawn yw gwrthdrawiadau mawr fel hyn. Digwyddodd yr un diweddaraf yn 1908 pan ffrwydrodd asteroid uwchben ardal bellennig o Siberia o'r enw Tunguska.

GASPRA

Dyddiad darganfod	1916
Hyd	18 km (11 milltir)
Hyd rhod	1,200 o ddiwrnodau
Cyflymder rhod	20 km (12 milltir) yr eiliad

IDA

Dyddiad darganfod	1884
Hyd	53 km (33 milltir)
Hyd rhod	1,768 o ddiwrnodau
Cyflymder rhod	18 km (11 milltir) yr eiliad

EROS

Dyddiad darganfod	1898
Hyd	33 km (20 milltir)
Hyd rhod	643 o ddiwrnodau
Cyflymder rhod	24 km (15 milltir) yr eiliad

COMEDAU

Mae biliynau o gomedau yn y Cwmwl Oort, ardal o Gysawd yr Haul y tu hwnt i rod Neifion. Pan ddaw rhai o'r comedau rhewllyd hyn yn agos at yr Haul, cânt eu taro gan ymbelydredd solar sy'n peri i gynffonnau o lwch a nwy befrio y tu ôl iddyn nhw. Ar ôl rhai wythnosau bydd y comedau'n diflannu ond daw rhai yn ôl i'r golwg flynyddoedd yn ddiweddarach. Comed Halley yw hon, sy'n mynd o gwmpas yr Haul unwaith bob 76 mlynedd.

CAWOD O SÊR GWIB

Bydd rhai gronynnau yn cael eu denu gan ddisgyrchiant y Ddaear ac yn gwneud llinellau gwynias yn yr atmosffer wrth iddyn nhw gael eu cynhesu gan ffrithiant. Bydd y rhan fwyaf o'r sêr gwib hyn yn llosgi'n ddim ymhell uwchlaw wyneb y Ddaear, ond bydd ambell un yn glanio ar ffurf meini mellt. Ceir cawodydd o sêr gwib bob blwyddyn pan fydd y Ddaear yn hwylio drwy gynffonnau o lwch gofod a adawyd gan gomedau.

IAU CYSGODOL

Bydd llawer o'r asteroidau a'r comedau a allai fwrw'r Ddaear yn cael eu taro oddi ar eu llwybr gan ddisgyrchiant cryf y blaned Iau. Mae'n debyg bod hyn wedi ein hachub rhag llawer gwrthdrawiad trychinebus yn y gorffennol. Yn 1994, gwyliai gwyddonwyr wrth i ddarnau o gomed enfawr Shoemaker-Levy 9 blymio i mewn i'r blaned enfawr gan greu cyfres o greithiau duon yn yr atmosffer trwchus – rhai mor fawr â'r Ddaear!

MEINI MELLT

Bydd miloedd o feini mellt yn taro'r Ddaear bob blwyddyn, er nad yw llawer ohonyn nhw'n ddigon mawr i wneud unrhyw niwed. Mae'r mwyafrif yn garegog, er bod ambell un yn fwy haearnaidd neu, yn anaml, yn gymysgedd o'r ddau beth. Tameidiau o asteroidau yw llawer ohonynt ac mae rhai wedi'u gwneud o'r un deunydd a ffurfiodd y planedau. Cafodd rhai, fel maen mellt Nakhla, ei ffrwydro oddi ar wyneb Mawrth gan wrthdrawiadau eraill, a daeth rhai eraill o'r Lleuad.

Maen mellt Shargottite
Sayh al Uhaymir 008

Y LLEUAD

Crëwyd ein Lleuad ni pan darodd rhywbeth o'r un maint â Mawrth i mewn i'r Ddaear ryw 4.5 biliwn o flynyddoedd yn ôl. Achosodd y gwrthdrawiad i ddarn o fantell greigiog y Ddaear doddi, ac o ganlyniad, tasgodd craig ferwedig allan a glynu yn ei gilydd i ffurfio'r Lleuad. Yn wahanol i'r Ddaear, does gan y Lleuad ddim canol mawr trwm o haearn, felly does ganddo ddim digon o ddisgyrchiant i fod ag atmosffer. Ond mae'n gallu denu asteroidau, ac mae olion gwrthdrawiadau ar hyd wyneb y Lleuad ar ffurf tyllau. Byd sych, diffrwyth, ydyw, yn wahanol iawn i'w gymydog agosaf.

PARTNERIAID Y RHOD

Mae'r Lleuad yn sownd yn rhod y Ddaear oherwydd disgyrchiant y Ddaear, sy'n ei rwystro rhag troelli i ffwrdd i'r gofod. Ond mae gan y Lleuad ychydig o ddisgyrchiant, a bydd hwn yn tynnu dŵr cefnforoedd y Ddaear, gan greu'r llanw a'r trai.

TIRWEDDAU'R LLEUAD

Gorchuddir wyneb y Lleuad â chreigiau a llwch a ffrwydrodd o dyllau a grewyd gan asteroidau'n gwrthdaro yn ystod 750 miliwn mlynedd gyntaf ei hanes. Mae'r tyllau mwyaf dros 150km (90 milltir) ar draws, a bydd eu hymylon yn ffurfio bryniau llwyd y Lleuad. Tyllau mwy a foddwyd gan graig folcanig dywyllach yw'r 'moroedd'.

Paneli solar yn casglu heulwen i gynhyrchu ynni ar gyfer y llong ofod

Antena yn anfon a derbyn data

Antena yn anfon lluniau i'r Ddaear

Lunokhod 2 o Rwsia (glaniodd yn Ionawr 1973)

Wyth olwyn yn cario'r llong ofod dros wyneb garw'r Lleuad

Surveyor 1 o'r UDA (glaniodd ym Mehefin 1966)

Coesau ar sbring i lanio'n esmwyth

LLONGAU GOFOD DI-BOBL

Robotiaid oedd y llongau gofod cyntaf ar y Lleuad, a bu'r rhain yn dadansoddi'r wyneb, yn tynnu lluniau ac yn anfon y data yn ôl i'r Ddaear. Roedd yr wybodaeth hon yn hanfodol ar gyfer diogelwch y gofodwyr cyntaf i ymweld â'r Lleuad ar ddiwedd y 1960au. Ers hynny, bu sawl llong ofod ddi-bobl ar y Lleuad gan roi llif cyson o wybodaeth am y Lleuad i wyddonwyr.

CRAIG Y LLEUAD

Mae'r meini sy'n gorchuddio wyneb y Lleuad yn hen iawn o'u cymharu â chreigiau'r Ddaear. Mae'r garreg olau ei lliw yn 4.5 biliwn o flynyddoedd oed – mor hen â'r Lleuad ei hun – ac mae'r lafa tywyll sy'n llenwi llawer o'r tyllau o leiaf 3.2 biliwn o flynyddoedd oed. Y rheswm dros hyn yw bod pob gweithgaredd daearegol, heblaw am ambell wrthdrawiad gan asteroid, wedi dod i ben ar y Lleuad amser maith yn ôl.

Carreg yn gorwedd ble glaniodd wedi iddi gael ei thaflu o dwll

Apollo 11: Y bobl gyntaf i gerdded ar y Lleuad oedd Neil Armstrong a Buzz Aldrin ar 20 Gorffennaf 1969. Bu'r ddau ar wyneb y lleuad am 2.5 awr.

TEITHIAU I'R LLEUAD

Yn 1969, fel rhan o broject Apollo, anfonodd UDA ddynion i lanio ar y Lleuad am y tro cyntaf. Daeth chwe thaith debyg wedyn, a dim ond un a fethodd; mae 12 o ofodwyr Apollo wedi archwilio wyneb y Lleuad.

AR YR WYNEB

Does dim awyr ar y Lleuad na dim atmosffer o unrhyw fath i greu awyr las nac i gysgodi rhag yr haul tanbaid. Gall y tymheredd godi mor uchel â 120°C (240°F) yn yr haul ond mae'n disgyn i -150°C (-240°F) yn y tywyllwch oherwydd nad oes dim atmosffer i rwystro'r gwres rhag dianc i'r gofod. Mae'r Lleuad yn cymryd 27.3 o ddiwrnodau Daearol i droelli un waith, bydd dros 320 awr o oleuni'n cael eu dilyn gan yr un faint o dywyllwch.

Cylch y Lleuad

Cymer y Lleuad bron i bedair wythnos i gylchdroi'r Ddaear. Mae'n troi ar yr un cyflymder â'r Ddaear felly bydd yr un ochr wastad yn ein hwynebu. Bydd yr Haul yn goleuo mwy neu lai o wyneb y Lleuad ar adegau gwahanol, gan greu cylch y lleuad.

Apollo 12: Dyma'r daith gyntaf i gludo offer gwyddonol i'r Lleuad. Gadawyd offer i deimlo am ddaeargrynfeydd a magnetedd ar yr wyneb.

Apollo 13: Cafodd y llong ei rhwystro rhag glanio ar y Lleuad gan ffrwydrad, ond llwyddodd y criw i ddychwelyd yn ddiogel i'r Ddaear.

Apollo 14: Glaniodd y daith hon mewn ardal fryniog o'r Lleuad yn Chwefror 1971. Alan Shepard oedd yr arweinydd; ef hefyd oedd yr Americanwr cyntaf i deithio i'r gofod.

Apollo 15: Glaniodd hon ym mis Gorffennaf 1971, ac roedd gan y criw gerbyd crwydro'r Lleuad er mwyn archwilio llawer ymhellach.

Apollo 16: Ym mis Ebrill 1972 defnyddiodd y daith hon gerbyd crwydro arall i archwilio Ucheldir Descartes ac i wneud arbrofion.

Apollo 17: Roedd y daith olaf ym mis Rhagfyr 1972 yn cynnwys yr unig wyddonydd i ymweld â'r lleuad – y daearegwr Harrison Schmid.

DECHRAU'R DDAEAR

Crëwyd y Ddaear gan ddarnau o rwbel a llwch oedd yn cylchdroi o gwmpas y seren newydd a ddaeth ymhen amser yn Haul. Glynodd y darnau hyn yn ei gilydd dros amser, nes ffurfio planed, mewn proses a elwir yn ymgasgliad. Dechreuodd y broses yn araf ond wrth i'r blaned dyfu, denodd ei disgyrchiant cynyddol ragor o ddarnau o greigiau'r gofod. Yn y pen draw, toddodd y cyfan, a suddodd yr haearn a'r nicel trwm yn y graig dawdd i ganol y blaned gan ffurfio'r crombil. Trodd y gweddill yn fantell drwchus, boeth ac yn gramen gymharol denau, oer a bregus.

Dau ddarn o graig yn toddi ynghyd wrth daro yn ei gilydd ar gyflymder eithriadol

YMGASGLIAD

Wrth i sêr enfawr ffrwydro digwyddodd proses o'r enw ymasiad niwclear, achosodd hyn i elfennau trwm megis silicon a haearn ffurfio cymylau o lwch a chreigiau yn y gofod, yn y darn o'r alaeth ble ganwyd yr Haul. Wrth i'r darnau o lwch a cherrig gylchdroi'r seren, cawsant eu tynnu ynghyd gan eu disgyrchiant eu hunain, gan greu gwres o'r ynni a ryddhawyd gyda phob gwrthdrawiad. Parodd y gwres i'r creigiau lynu yn ei gilydd gan greu darnau mwy a mwy, nes creu'r egin-blaned a ddaeth yn ei thro yn Ddaear.

GWRTHDARO

Amgylchynwyd y Ddaear ifanc gan sbwriel creigiog, oedd yn taro i mewn iddi drwy'r amser. Trowyd ynni pob gwrthdrawiad yn wres fyddai'n ddigon i doddi'r holl blaned yn y pen draw, gan greu'r strwythur haenog sydd iddi bellach. Wrth i'r gwrthdrawiadau arafu, oerodd y Ddaear, ond mae ymbelydredd yn ei chrombil yn dal i gynhyrchu gwres sy'n gyrru llosgfynyddoedd a daeargrynfeydd.

Achosodd gwrthdrawiadau mawr i dyllau enfawr ymddangos, ond cawsant eu dileu gan ddigwyddiadau daearegol diweddarach.

MAGNETIAETH Y DDAEAR

Mae crombil y Ddaear yn llawn o haearn, nicel a sylffwr tawdd, gyda phelen o fetel solet yn ei chanol. Oherwydd gwres enbyd, bydd y crombil tawdd yn llifo a chwyrlïo gan weithio gyda thro'r blaned i greu maes electromagnetig. Mae hyn yn achosi i'r blaned weithio fel magnet enfawr, a dyna pam y gellir defnyddio cwmpawd i ddarganfod cyfeiriad y gogledd.

LLOSGFYNYDDOEDD ENFAWR

Wrth i'r Ddaear ifanc gynhesu fwy a mwy, ac i'r crombil metel ffurfio, rhyddhawyd llawer iawn o garbon deuocsid, sylffwr deuocsid ac anwedd dŵr drwy adweithiau cemegol. Berwodd y nwyon hyn i'r wyneb a ffrwydro, ynghyd â llawer o graig dawdd, o losgfynyddoedd enfawr. Y nwyon hyn oedd yn gyfrifol am ffurfio'r atmosffer cyntaf, a throdd yr anwedd dŵr yn law trwm iawn a lanwodd y cefnforoedd cyntaf.

Afonydd o lafa eirias yn arllwys o geudyllau llosgfynyddoedd enfawr

STRWYTHUR Y DDAEAR

Pe byddem ni'n gallu torri drwy'r Ddaear i'w chanol a chymryd tafell ohoni, gallem weld haenau amlwg. Yn y canol mae'r crombil mewnol caled, wedi'i amgylchynu gan grombil allanol hylifol. Haearn trwm yw'r ddwy haen hyn yn bennaf. O gwmpas y crombil allanol ceir haenen ddofn o graig drom, sy'n boeth iawn ond yn solet. Dyma'r fantell. Cragen glaear y fantell sy'n ffurfio'r gramen o dan y cefnforoedd, tra bo tafelli enfawr o graig ysgafnach yn ffurfio cramen y cyfandiroedd. Dysgodd gwyddonwyr lawer o'r wybodaeth yma drwy astudio sut y bydd tonnau ysgytwad sy'n dilyn daeargrynfeydd yn teithio drwy'r blaned.

❶ CROMBIL

Mae dwy ran i galon fetel y Ddaear, sef crombil fewnol solet yn mesur tua 2,400 km (1,515 milltir) ar draws a chrombil fewnol hylifol yn mesur tua 2,250 km (1,400 milltir) o ddyfnder. Gwnaed y crombil mewnol o ryw 80% o haearn a 20% o nicel. Mae ganddo dymheredd o oddeutu 7,000°C (12,600°F) ond ni all doddi oherwydd y pwysedd eithriadol sydd arno. Mae'r crombil allanol yn 88% haearn tawdd a 12% sylffwr.

❷ MANTELL

A hithau'n mesur 2,900 km (1,800 milltir) o drwch, y fantell yw rhan fwyaf y blaned. Craig drom, dywyll o'r enw peridotit yw llawer ohoni ac er bod tymheredd y fantell yn amrywio rhwng 1,000°C (1,800°F) a 3,500°C (6,300°F), mae'r pwysedd enfawr sydd arni'n ei chadw'n solet. Er hyn, bydd gwres sy'n codi drwy'r fantell yn peri i'r graig symud yn araf drwy'r amser, a dyma sy'n achosi daeargryn.

❸ GWAELOD Y CEFNFOR

Ar ben y fantell, bydd symudiadau yn y graig yn creu craciau sy'n lleihau pwysau gan achosi i'r peridotit doddi. Bydd yn ffrwydro drwy'r craciau a chaledu ar ffurf bilergraig, craig ychydig yn ysgafnach sy'n creu gwaelod y môr. Mae'r gramen hon o dan y cefnforoedd tua 8 km (5 milltir) o drwch. Caiff gwaelod y môr ei adnewyddu a'i ailgylchu drwy'r amser, felly does dim un rhan ohono'n hŷn na 200 miliwn o flynyddoedd oed.

Ffurfir mynyddoedd wrth i'r gramen gael ei gwasgu a'i phlygu

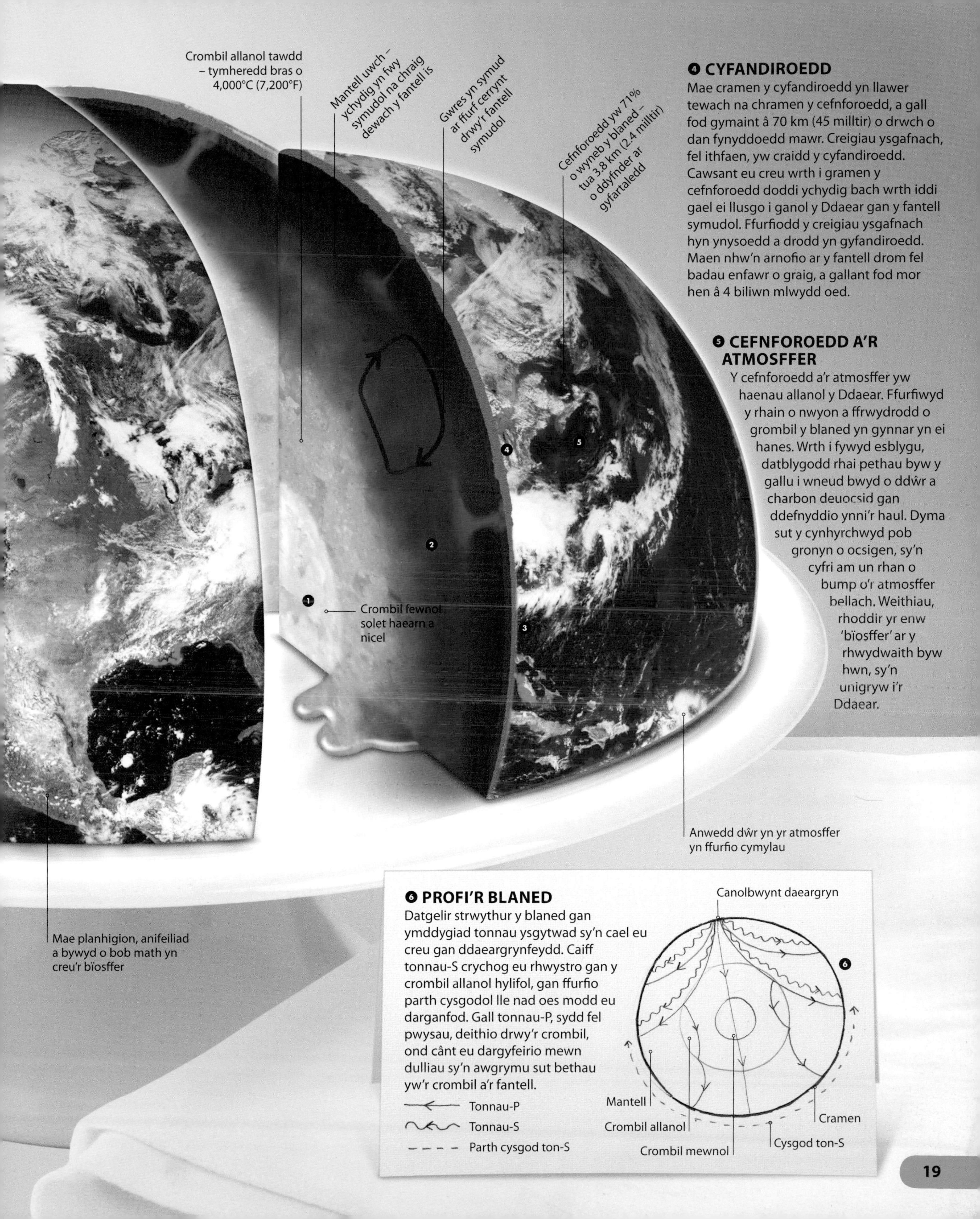

❹ CYFANDIROEDD

Mae cramen y cyfandiroedd yn llawer tewach na chramen y cefnforoedd, a gall fod gymaint â 70 km (45 milltir) o drwch o dan fynyddoedd mawr. Creigiau ysgafnach, fel ithfaen, yw craidd y cyfandiroedd. Cawsant eu creu wrth i gramen y cefnforoedd doddi ychydig bach wrth iddi gael ei llusgo i ganol y Ddaear gan y fantell symudol. Ffurfiodd y creigiau ysgafnach hyn ynysoedd a drodd yn gyfandiroedd. Maen nhw'n arnofio ar y fantell drom fel badau enfawr o graig, a gallant fod mor hen â 4 biliwn mlwydd oed.

❺ CEFNFOROEDD A'R ATMOSFFER

Y cefnforoedd a'r atmosffer yw haenau allanol y Ddaear. Ffurfiwyd y rhain o nwyon a ffrwydrodd o grombil y blaned yn gynnar yn ei hanes. Wrth i fywyd esblygu, datblygodd rhai pethau byw y gallu i wneud bwyd o ddŵr a charbon deuocsid gan ddefnyddio ynni'r haul. Dyma sut y cynhyrchwyd pob gronyn o ocsigen, sy'n cyfri am un rhan o bump o'r atmosffer bellach. Weithiau, rhoddir yr enw 'bïosffer' ar y rhwydwaith byw hwn, sy'n unigryw i'r Ddaear.

❻ PROFI'R BLANED

Datgelir strwythur y blaned gan ymddygiad tonnau ysgytwad sy'n cael eu creu gan ddaeargrynfeydd. Caiff tonnau-S crychog eu rhwystro gan y crombil allanol hylifol, gan ffurfio parth cysgodol lle nad oes modd eu darganfod. Gall tonnau-P, sydd fel pwysau, deithio drwy'r crombil, ond cânt eu dargyfeirio mewn dulliau sy'n awgrymu sut bethau yw'r crombil a'r fantell.

TECTONEG PLATIAU

Mae creigiau ymbelydrol yn ddwfn ynghanol y Ddaear yn cynhyrchu gwres sy'n codi drwy'r fantell. Bydd hyn yn achosi symudiad o'r enw cerrynt dargludiad sy'n gwneud i'r graig boeth lifo yr un mor gyflym ag y bydd eich ewinedd yn tyfu. Mae'n llifo wysg ei ochr yn agos at yr wyneb, gan lusgo darnau o gramen y Ddaear gyda hi a hollti'r gramen yn blatiau. Lle bydd dau blât yn gwahanu, ffurfir hollt. Pan fyddan nhw'n gwthio ynghyd, bydd un plât yn llithro o dan y llall, gan greu daeargrynfeydd a ffrwydradau folcanig. Tectoneg platiau yw enw'r broses hon.

❶ PARTHAU ISLITHRO

Gelwir ffiniau'r platiau lle bydd un plât o gramen yn plymio o dan blât arall yn barthau islithro. Wrth i'r gramen gael ei llusgo i lawr, gan greu cafn dwfn o dan gefnfor weithiau, bydd rhan ohoni'n toddi a ffrwydro, gan ffurfio cadwyn o losgfynyddoedd. Bydd y symudiad hefyd yn achosi daeargrynfeydd. Mewn rhai parthau islithro, bydd un plât o waelod y cefnfor yn llithro o dan un arall. Mewn mannau eraill, mae cramen y cefnfor yn rhygnu o dan y cyfandiroedd ac yn gwthio mynyddoedd i fyny.

❷ HOLLTAU SY'N LLEDU

Lle bydd platiau'n cael eu tynnu ar wahân gan holltau sy'n lledu o dan y cefnfor, bydd y pwysau o dan y gramen yn lleihau, gan adael i graig boeth y fantell doddi a ffrwydro ar ffurf lafa pilergraig. Wrth i'r hollt ledu, daw mwy o lafa drwodd gan galedu ac ychwanegu craig newydd i waelod y môr. Mae'r ffiniau'n ffurfio rhwydwaith o gribau ynghanol y cefnforoedd. Mae hi'n bosib i holltau sy'n lledu wahanu cyfandiroedd, gan greu moroedd fel y Môr Coch, allai ddatblygu'n gefnfor yn y pen draw.

❹ Ffawt San Andreas

Mae'r ardal hon yng Nghaliffornia, sy'n enwog am ddaeargrynfeydd, yn enghraifft o ffawt trawsnewid. Dyma'r ffin lle mae plât y Môr Tawel yn symud i'r gogledd-orllewin yn erbyn plât Gogledd America. Ceir symudiadau aml ac ysgafn ar rannau o'r ffawt ond mewn rhannau eraill ceir symudiadau llai aml ond llawer mwy grymus.

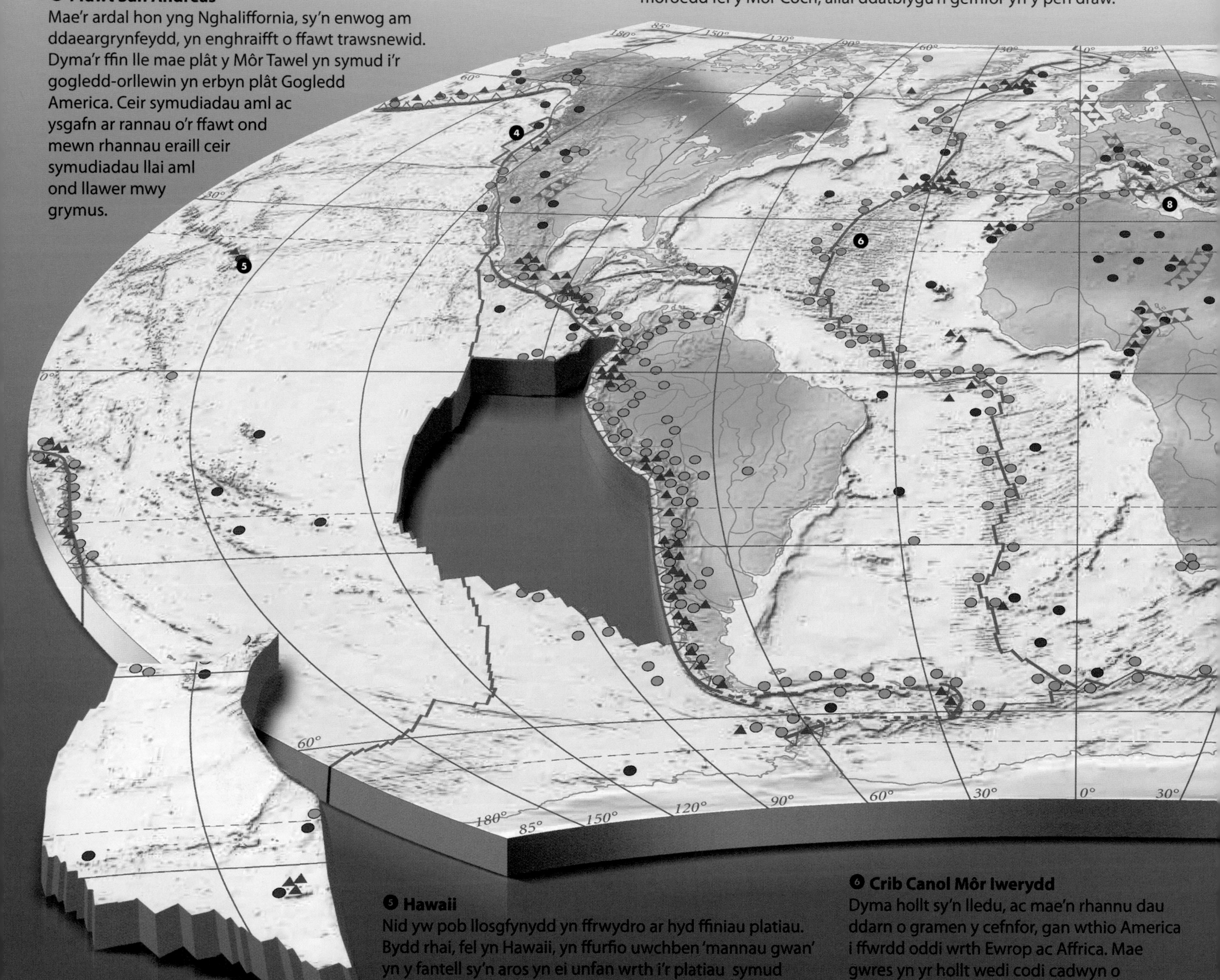

❺ Hawaii

Nid yw pob llosgfynydd yn ffrwydro ar hyd ffiniau platiau. Bydd rhai, fel yn Hawaii, yn ffurfio uwchben 'mannau gwan' yn y fantell sy'n aros yn ei unfan wrth i'r platiau symud drostynt. Gall y rhain ymddangos ynghanol plât, ymhell o unrhyw ffin.

❻ Crib Canol Môr Iwerydd

Dyma hollt sy'n lledu, ac mae'n rhannu dau ddarn o gramen y cefnfor, gan wthio America i ffwrdd oddi wrth Ewrop ac Affrica. Mae gwres yn yr hollt wedi codi cadwyn o fynyddoedd o dan y môr sy'n ymestyn bron hanner ffordd o amgylch y byd.

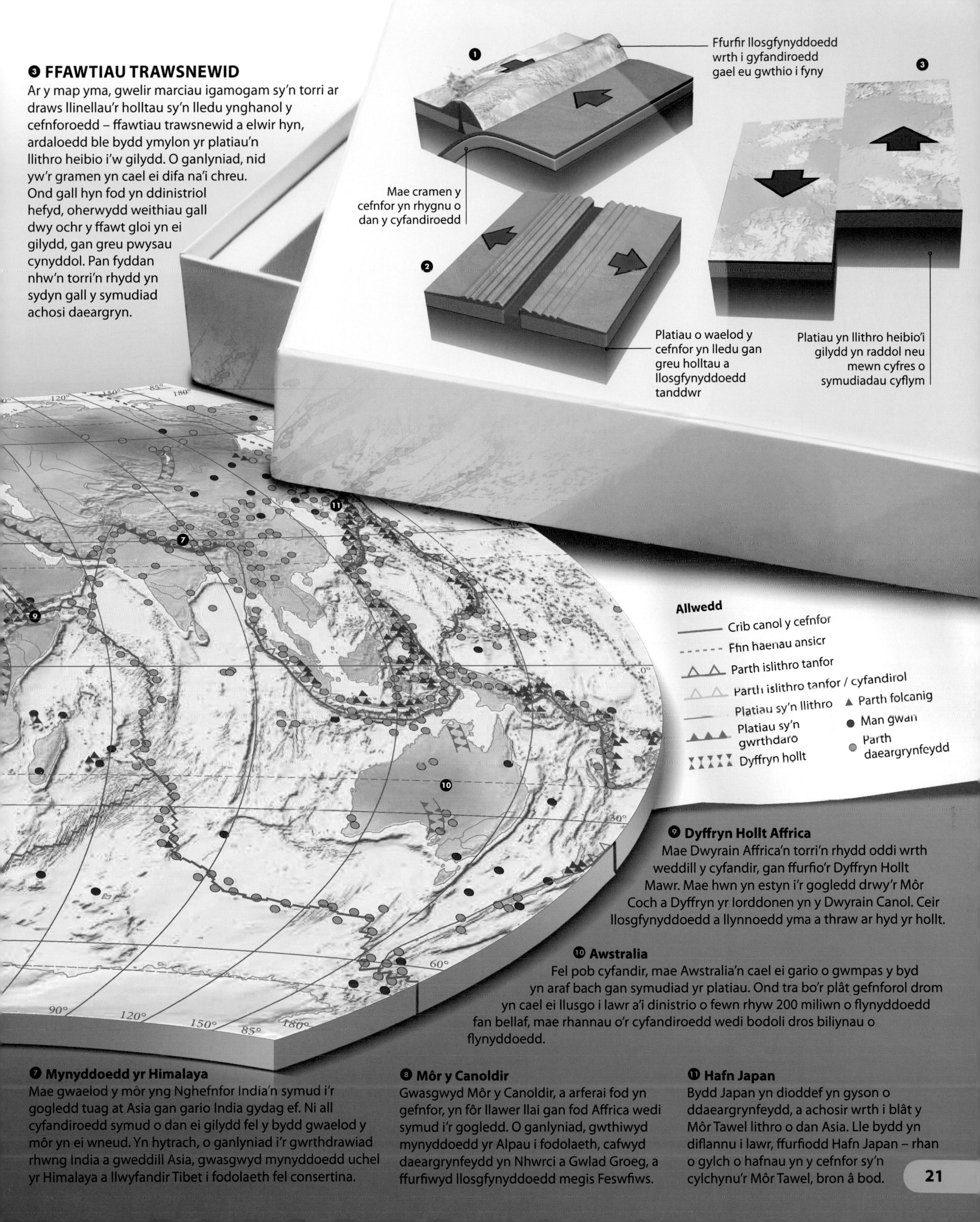

❸ FFAWTIAU TRAWSNEWID

Ar y map yma, gwelir marciau igamogam sy'n torri ar draws llinellau'r holltau sy'n lledu ynghanol y cefnforoedd – ffawtiau trawsnewid a elwir hyn, ardaloedd ble bydd ymylon yr platiau'n llithro heibio i'w gilydd. O ganlyniad, nid yw'r gramen yn cael ei difa na'i chreu. Ond gall hyn fod yn ddinistriol hefyd, oherwydd weithiau gall dwy ochr y ffawt gloi yn ei gilydd, gan greu pwysau cynyddol. Pan fyddan nhw'n torri'n rhydd yn sydyn gall y symudiad achosi daeargryn.

❾ Dyffryn Hollt Affrica

Mae Dwyrain Affrica'n torri'n rhydd oddi wrth weddill y cyfandir, gan ffurfio'r Dyffryn Hollt Mawr. Mae hwn yn estyn i'r gogledd drwy'r Môr Coch a Dyffryn yr Iorddonen yn y Dwyrain Canol. Ceir llosgfynyddoedd a llynnoedd yma a thraw ar hyd yr hollt.

❿ Awstralia

Fel pob cyfandir, mae Awstralia'n cael ei gario o gwmpas y byd yn araf bach gan symudiad yr platiau. Ond tra bo'r plât gefnforol drom yn cael ei llusgo i lawr a'i dinistrio o fewn rhyw 200 miliwn o flynyddoedd fan bellaf, mae rhannau o'r cyfandiroedd wedi bodoli dros biliynau o flynyddoedd.

❼ Mynyddoedd yr Himalaya

Mae gwaelod y môr yng Nghefnfor India'n symud i'r gogledd tuag at Asia gan gario India gydag ef. Ni all cyfandiroedd symud o dan ei gilydd fel y bydd gwaelod y môr yn ei wneud. Yn hytrach, o ganlyniad i'r gwrthdrawiad rhwng India a gweddill Asia, gwasgwyd mynyddoedd uchel yr Himalaya a llwyfandir Tibet i fodolaeth fel consertina.

❽ Môr y Canoldir

Gwasgwyd Môr y Canoldir, a arferai fod yn gefnfor, yn fôr llawer llai gan fod Affrica wedi symud i'r gogledd. O ganlyniad, gwthiwyd mynyddoedd yr Alpau i fodolaeth, cafwyd daeargrynfeydd yn Nhwrci a Gwlad Groeg, a ffurfiwyd llosgfynyddoedd megis Feswfiws.

⓫ Hafn Japan

Bydd Japan yn dioddef yn gyson o ddaeargrynfeydd, a achosir wrth i blât y Môr Tawel lithro o dan Asia. Lle bydd yn diflannu i lawr, ffurfiodd Hafn Japan – rhan o gylch o hafnau yn y cefnfor sy'n cylchynu'r Môr Tawel, bron â bod.

DRIFFT CYFANDIROL

Sylwodd pobl mor bell yn ôl â'r 1600au bod siâp De America ac Affrica yn debyg i ddau ddarn o jig-so. Edrychai fel pe baent wedi hollti i greu Môr Iwerydd, ond roedd hi'n anodd credu bod y fath 'ddrifft cyfandirol' yn bosib. Erbyn y 1960au roedd datblygiadau ym maes ymchwil tectoneg platiau wedi dangos mai dyna'r gwirionedd. Byth ers i'r cyfandiroedd ddechrau tyfu allan o graig oedd yn ffrwydro o waelod y môr, cawsant eu cludo o gwmpas y byd gan blatiau symudol cramen y Ddaear. Maen nhw wedi ymuno, rhannu a gwrthdaro eto lawer gwaith, gan greu sawl trefniant gwahanol – ac maen nhw'n dal i symud.

Cefnfor enfawr – bydd yn datblygu'n Fôr Tawel

Cefnfor Tethys – bydd yn crebachu'n Fôr y Canoldir

Gogledd America'n symud i'r gogledd-orllewin

Yr hollt rhwng Affrica a De America yn lledu

170 MILIWN O FLYNYDDOEDD YN ÔL

Yn y cyfnod Jwrasig, sy'n enwog bellach am ddeinosoriaid, roedd pob cyfandir deheuol yn sownd yn ei gilydd mewn un cyfandir mawr. Enw daearegwyr ar yr uwch-gyfandir hwn yw Gondwana. Rydyn ni'n gwybod hyn yn rhannol oherwydd bod y cyfandiroedd yn ffitio i'w gilydd ar hyd ymylon yr ysgafelli cyfandirol tanfor. Ond mae creigiau a haenau o graig amrywiol ar hyd yr arfordiroedd yn ffitio hefyd, ynghyd â'r ffosiliau a ddiogelwyd ynddynt. Gellir dyddio'r uwch-gyfandiroedd hyn oherwydd oedran y ffosiliau.

95 MILIWN O FLYNYDDOEDD YN ÔL

Tua diwedd oes y deinosoriaid, roedd dyffrynnoedd hollt enfawr wedi rhannu Gondwana yn gyfandiroedd tebyg i'r rhai sy'n gyfarwydd i ni heddiw. Rhannodd De America oddi wrth Affrica, ac agorodd canol Môr Iwerydd wrth i Ogledd America symud tua'r gogledd-orllewin. Parodd y rhaniad i anifeiliaid a phlanhigion gael eu gwahanu ar gyfandiroedd gwahanol, felly dechreuon nhw esblygu'n wahanol.

45 MILIWN O FLYNYDDOEDD YN ÔL

Erbyn dechrau oes mamaliaid, roedd Gogledd America a'r Ynys Las wedi gwahanu oddi wrth Ogledd Ewrop gan symud i'r gorllewin, ac roedd Môr Iwerydd yn lledu'n raddol tra bo'r Môr Tawel yn lleihau. Yn y cyfamser, roedd India'n symud i'r gogledd tuag at Asia. Cafodd Awstralia ei gwahanu, ynghyd â'i mamaliaid codog a esblygodd yn gangarŵ, coala a'r creaduriaid bolgodog eraill sy'n gyfarwydd i ni heddiw.

HEDDIW

Tua 20 miliwn o flynyddoedd yn ôl, tarodd India yn erbyn Asia ac mae'n dal i wthio tua'r gogledd, gan godi mynyddoedd Himalaia. Tua 3.5 miliwn o flynyddoedd yn ôl, creodd llosgfynyddoedd yn y Caribî ddarn cul o dir wnaeth uno de a gogledd America, gan newid patrwm ceryntau'r cefnforoedd yn llwyr. Tua'r un pryd, oherwydd bod Affrica'n symud tua'r gogledd, caewyd Môr y Canoldir i mewn bron yn gyfan gwbl gan dir.

MYNYDDOEDD

Mae mynyddoedd yn dystiolaeth syfrdanol o egni'r blaned, wrth iddynt gael eu codi gan rymoedd enfawr tectoneg platiau yn plygu neu'n chwalu cramen y Ddaear. Y cadwyni mynyddoedd uchaf, mwyaf dramatig, megis mynyddoedd Himalaia, yr Alpau a'r Andes yw'r ifancaf, ac maen nhw'n dal i dyfu. Ond cyn gynted ag y bydd mynyddoedd yn ffurfio, bydd grymoedd erydu'n dechrau eu gwisgo, a chaiff pob mynydd ei erydu'n ddim yn y pen draw.

❶ COPÂON CREIGIOG

Mae copâon ysblennydd yr Andes yn llai na 50 miliwn mlwydd oed, sy'n ifanc mewn amser daearegol. Dyma'r gadwyn hiraf o fynyddoedd ar dir – mae'n ymestyn ar hyd holl ymyl gorllewinol De America, pellter o 7,200 km (4,500 milltir). Maen nhw'n dal i gael eu gwthio i fyny, ond yma ym Mhatagonia rewllyd, cawsant eu herydu gan rewlifoedd a gerfiodd ddyffrynnoedd dwfn rhwng y copâon.

ADEILADU MYNYDDOEDD

Mae'r rhan fwyaf o fynyddoedd yn cael eu ffurfio ar hyd ymylon cyfandiroedd, wrth i un plât tectonig wrthdaro yn erbyn plât arall. Bydd rhai, fel yr Andes yn Ne America, yn cael eu gorfodi i fyny ganplât o gramen gefnforol yn rhygnu o dan ymyl y cyfandir. Bydd eraill, fel Mynyddoedd yr Himalaia, yn ardaloedd cywasgedig – fel consertina – o ganlyniad i wrthdaro rhwng cyfandiroedd. Ond gall mynyddoedd ffurfio oherwydd grymoedd mwy cymhleth, megis hollti, neu am fod craig dawdd yn gwthio i fyny o dano.

Mynyddoedd plyg

Dyma ddelwedd loeren o'r Alpau dan eira. Mae'n dangos sut y ffurfiwyd ardal gywasgedig, wrth i'r Eidal gael ei gwthio i mewn i weddill Ewrop gan y plât Affricanaidd. Mae'r broses yn achosi i blatiau o greigiau gwaddod gael eu plygu a'u troi – weithiau wyneb i waered. Gall hefyd godi hen welyau'r môr i'r awyr, nes bod modd darganfod ffosiliau o'r môr ar ben mynyddoedd.

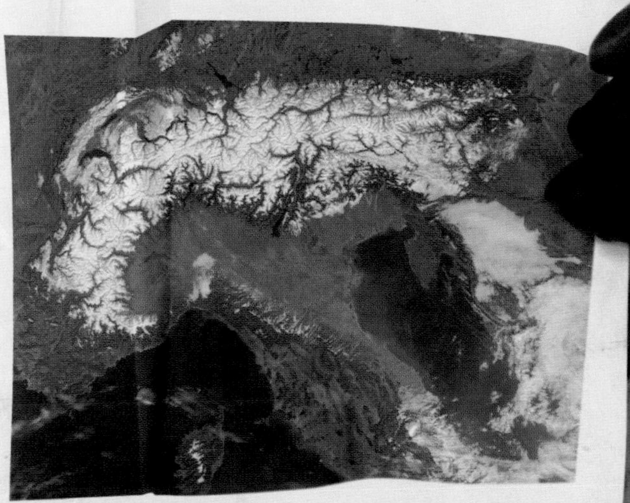

Creigiau a llwyfandiroedd

Crëwyd llethrau serth mynyddoedd Drakensberg yn Ne Affrica pan godwyd tirwedd cyfan gan graig dawdd yn gwthio o dani. Ffrwydrodd y graig o losgfynyddoedd hefyd gan greu llif lafa trwchus mewn mannau, sydd bellach wedi creu llwyfandir uchel gyda chreigiau serth ar hyd yr ymylon dwyreiniol.

❷ HEN GADWYNI

Mae sawl hen gadwyn o fynyddoedd yn dyst i ddigwyddiadau daearegol ymhell yn y gorffennol. Ffurfiwyd mynyddoedd Caledonia yn yr Alban pan darodd cyfandiroedd yn ei gilydd dros 400 miliwn o flynyddoedd yn ôl, ar hyd ffin dau plât dectonig sydd wedi hen ddiflannu. Arferai'r mynyddoedd fod cyn uched â Mynyddoedd Himalaia unwaith, ond cawsant eu gwisgo nes dod yn rhan o Ucheldiroedd yr Alban sydd wedi erydu'n fawr iawn.

❸ BONION WEDI ERYDU

Yn y pen draw bydd pob mynydd yn troi'n fonyn crwn oherwydd effaith di-ildio erydiad. Ar un adeg roedd cadwyn bryniau'r Bungle Bungle yng ngogledd-orllewin Awstralia yn llwyfandir uchel a ffurfiwyd o haenau llorweddol o dywodfaen. Dros ryw 350 miliwn o flynyddoedd, malodd ymyl y llwyfandir o dan ymosodiad glaw trwm, gwres tanbaid yr haf a rhew'r gaeaf i greu'r cromenni streipiog hyn.

❹ BYWYD GWYLLT Y MYNYDDOEDD

Po uchaf yr ewch chi, yr oeraf yw hi, felly mae bod ar ben mynydd uchel ar y cyhydedd bron fel bod yn yr Arctig. Rhaid i unrhyw blanhigyn sy'n byw yno fod yn wydn er mwyn goroesi, ac yn y mannau uchaf, does dim byd yn gallu byw. Mae gan anifeiliaid mynyddig fel llewpard yr eira flew trwchus i gadw'n gynnes, a rhaid iddynt fod yn sicr ar eu traed er mwyn gallu symud yn hyderus ar draws y tir garw a rhewllyd.

❺ AWYR DENAU

I ddringwr, mae pob mynydd yn her. Gall dringo gynnig sawl problem gan gynnwys peryglon dringo creigiau serth, rhewllyd heb sôn am geisio goroesi yn yr uchelderau. Gall fod yn oer iawn, ac mae ocsigen mor brin ar ben y mynyddoedd uchaf fel ei bod hi'n anodd iawn anadlu. Gall hyn wneud dringo bron yn amhosibl, felly rhaid i lawer o fynyddwyr wisgo offer anadlu arbennig.

FFAWTIAU A HOLLTAU

Wrth i dectoneg platiau wasgu ac ymestyn cramen y Ddaear, gall y creigiau dorri. Mae hyn yn achosi craciau a elwir yn ffawtiau. Gall ffawtiau fertigol ffurfio pan fydd un ochr o arwyneb ffawt wedi llithro i lawr. Pan fydd arwynebau ffawtiau'n gwahanu, gall blociau mawr o gramen ddisgyn rhwng parau o ffawtiau fertigol i ffurfio dyffrynnoedd hollt. Gall arwynebau sy'n gwrthdaro wthio un ochr o'r ffawt i fyny, neu gall craig gael ei gwthio i'r naill ochr ar hyd ffawt llorweddol. Mae llawer o ffawtiau gweladwy bellach yn segur ond mae eraill yn symud gan achosi daeargrynfeydd.

❶ FFAWTIAU FERTIGOL

Achosir ffawtiau sy'n gwyro'n fertigol gan greigiau a gafodd eu gwahanu neu eu gwthio ynghyd. Lle tarfwyd ar haenau o greigiau gwaddod fel hyn, gall y symudiad fod yn amlwg. Gwahanwyd y tywodfeini hyn, ger Canberra yn Awstralia, gan beri i'r creigiau ar ochr chwith pob ffawt lithro i lawr arwyneb y ffawt. Gellir mesur y symudiad yn fanwl oherwydd patrwm côd bar yr haenau.

Arwyneb y ffawt yn torri drwy haenau amrywiol y graig

❷ ARWYNEBAU FFAWT

Dim ond oddi fewn i greigiau y gwelir y rhan fwyaf o ffawtiau, ond weithiau datgelir arwyneb ffawt fel clogwyn. Crëwyd y cwymp serth hwn ger Arkitsa yng nghanolbarth Gwlad Groeg pan wthiwyd y graig ar yr ochr bellaf i fyny dros filoedd o flynyddoedd, gan wneud i'r dyn ar waelod y llun ymddangos yn fach iawn. Naddwyd rhychau fertigol yn arwyneb y ffawt gan symudiad di-baid y graig. Enw'r rhychau hyn yw llyfnochrau.

❸ LLITHRO I'R OCHR

Os bydd dau ddarn o gramen y Ddaear yn llithro ochr yn ochr â'i gilydd, gallant greu ffawtiau sy'n ymdebygu i linellau hirion ar draws y tir wrth edrych arnynt o'r awyr. Roedd y graig olau yn y llun hwn (a dynnwyd o'r awyr o ffawt yn Nevada, UDA) unwaith yn un gefnen barhaus, ond cafodd ei gwthio i'r chwith ar waelod y llun. Enghraifft arall o'r math hwn o ffawt yw Ffawt San Andreas yng Nghaliffornia.

❹ DYFFRYNNOEDD HOLLT

Arwynebau ffawt yw'r clogwyni serth hyn ar hyd un ochr o Ddyffryn Hollt Affrica, nodwedd enfawr a grëwyd wrth i ddwyrain Affrica symud i'r dwyrain oddi wrth weddill y cyfandir. Parodd hyn i ran ganolog y dyffryn – ar y chwith yn y llun – i suddo i'r Ddaear. Ar gyfartaledd, mae'r dyffryn yn 50 km (30 milltir) o led, a'r clogwyni'n nodi arwynebau'r ffawtiau ar y ddwy ochr.

Mae Llyn Baikal yn 636 km (395 milltir) o hyd a 50 km (30 milltir) o led

❺ LLYNNOEDD DYFFRYNNOEDD HOLLT

Llenwir sawl dyffryn hollt gan lynnoedd hirion, dwfn iawn. Dyma Llyn Baikal yn Rwsia, y llyn dyfnaf ar wyneb y Ddaear, sy'n dal un rhan o bump o holl ddŵr croyw'r byd. Mae llawr y dyffryn hollt gymaint â 1,741 m (5,716 troedfedd) o dan wyneb y llyn. Ceir ffynhonnau poeth yma ac acw sy'n ffrwydro dŵr a gynheswyd yn folcanig i ddyfnderoedd duon gwaelod y llyn.

❻ CRIBAU CANOL Y CEFNFOR

Ffurfiodd dyffrynnoedd hollt hir iawn wrth i haenau cramen y Ddaear wahanu ar waelod y cefnforoedd. Dyma lun sonar ffugliw o Grib Dwyrain y Môr Tawel, yn dangos dwy gefnen o fynyddoedd (coch) a dyffryn hollt rhyngddynt. Crëwyd y cribau gan lafa a ffrwydrodd o graciau yn y dyffryn hollt a gwres yn peri i graig gwaelod y môr chwyddo am i fyny.

TSWNAMÏAU A DAEARGRYNFEYDD

Achosir daeargrynfeydd gan ffawtiau'n symud oherwydd pwysau gan symudiadau yng nghramen y Ddaear. Os bydd ffawt yn symud yn hawdd, dim ond cryndod bach fydd y daeargryn. Ond os bydd y graig ar y naill ochr a'r llall i'r ffawt yn cloi, bydd pwysau'n codi gan blygu'r graig nes i rywbeth dorri. Bydd hyn yn rhyddhau ynni'n sydyn ac yn achosi daeargryn mawr. Os digwydd hyn o dan ddŵr, mae'n creu ton sioc tanddwr sy'n achosi tswnami.

Gogwydd mawr yn dangos daeargryn nerthol

Nodwydd fain yn ymateb i'r cryndod lleiaf

MESUR ➲

Mesurir daeargryn ar y raddfa Richter. Mae'n seiliedig ar faint o symud ddigwyddodd i'r ddaear yn ôl cofnod offeryn o'r enw seismograff. Wrth i'r ddaear grynu, mae'r peiriant yn symud pin ysgrifennu sy'n cofnodi'r digwyddiad ar rholyn o bapur a weindiwyd o gwmpas silindr mesur. Po fwyaf y daeargryn, mwyaf y bydd y pin yn symud.

Wrth i platiau rygnu heibio i'w gilydd, rhyddheir ynni

Platiau'n rhannu a symud ar hyd llinell y ffawt

Siocdonnau'n bwrw allan o uwchganolbwynt y daeargryn

➲ SYMUD GRADDOL

Bydd rhai ffawtiau'n symud yn raddol drwy'r amser. Dyna sy'n digwydd i ddarn canol Ffawt San Andreas yng Nghaliffornia, lle bydd y creigiau'n cropian heibio i'w gilydd rhyw 37mm (1.5 modfedd) bob blwyddyn heb achosi daeargryn difrifol. Mae rhannau eraill o'r ffawt wedi cloi, gan greu tyndra sy'n peri i rywbeth dorri yn y pen draw.

➲ SIOCDON

Enw'r pwynt lle bydd ffawt dan glo yn torri yw'r uwchganolbwynt. Yn y llun hwn, mae man y torri o dan ddaear ar hyd ffawt sy'n llithro i'r ddau gyfeiriad, megis Ffawt San Andreas yng Nghaliffornia. Bydd siocdonnau'n bwrw allan o'r uwchganolbwynt yn yr un modd ag y bydd sioc ffrwydrad yn teithio drwy'r awyr, a gall fod yr un mor niweidiol. Wrth i'r tonnau deithio ymhellach, ânt yn wannach, ond bydd modd eu teimlo ar ochr arall y byd weithiau.

SYMUDIAD DAEAR

Bydd y symudiad yn y ffawt sy'n achosi daeargryn yn aml yn ddwfn iawn o dan y ddaear, ond ambell waith bydd yn amlwg ar wyneb y ddaear. Codwyd un ochr y ffawt dros 1 metr (39 modfedd) yma. Byddai'r pwysau wedi bod yn cynyddu am ddegawdau, ond pan dorrodd y ffawt yn y pen draw, byddai'r holl symudiad wedi digwydd mewn eiliadau.

DINAS DAEARGRYNFEYDD

Mae dinas San Francisco wedi'i lleoli ar ben gogleddol Ffawt San Andreas ac mae'n profi cryndod daear yn gyson. Digwyddodd y daeargryn diwethaf yn 1989, gan ddinistrio rhan o drafffordd y Nimitz Freeway, a lladd 63 o bobl. Ond daeargryn cymharol fach oedd hwn o'i gymharu â'r un a ddistrywiodd San Francisco yn 1906, ac mae pawb yn gwybod y daw 'un mawr' arall i daro'r ddinas yn y man.

TRYCHINEB

Mae daeargrynfeydd yn cael effaith trychinebus ar ddinasoedd, yn enwedig os ydynt wedi'u hadeiladu o ddeunydd adeiladu traddodiadol megis briciau. Wrth i'r ddaear grynu, bydd adeilad brics yn dymchwel yn bentwr, gan gladdu unrhyw un oedd ynddo. Mae adeiladau ffrâm dur yn llawer cryfach, a gallant wrthsefyll mwy o gryndod, fe y gwelwyd yn Japan ar ôl daeargryn Kobe yn 1995.

TSWNAMI

Achoswyd tswnami Asia ar ddiwedd 2004 gan ffawt yn symud yn nyfnder gwely'r môr oddi ar ynys Swmatra, lle mae gwaelod Cefnfor India'n rhygnu o dan Indonesia. Achosodd y symudiad hwnnw i ynni enfawr gael ei ryddhau yn y daeargryn ail fwyaf erioed i gael ei gofnodi, gan gynhyrchu tonnau enfawr a ddistrywiodd yr arfordir hwn gerllaw.

LLOSGFYNYDDOEDD

Bydd llosgfynyddoedd yn ffrwydro mewn mannau lle toddodd craig boeth iawn ymhell islaw'r wyneb, gan greu magma tawdd. Mae hyn yn digwydd pan fydd cerrynt gwres o dan y gramen, a elwir yn 'fan gwan', a lle bydd y gramen frau yn cael ei rhwygo, gan leihau'r pwysau enfawr sy'n cadw'r graig boeth yn solet. Bydd hefyd yn digwydd pan lusgir un haen o gramen o dan un arall, ynghyd â dŵr, gan ostwng pwynt toddi'r graig. Mae'r modd y bydd y magma'n ffurfio'n effeithio'i natur a sut y bydd yn ffrwydro o'r llosgfynydd.

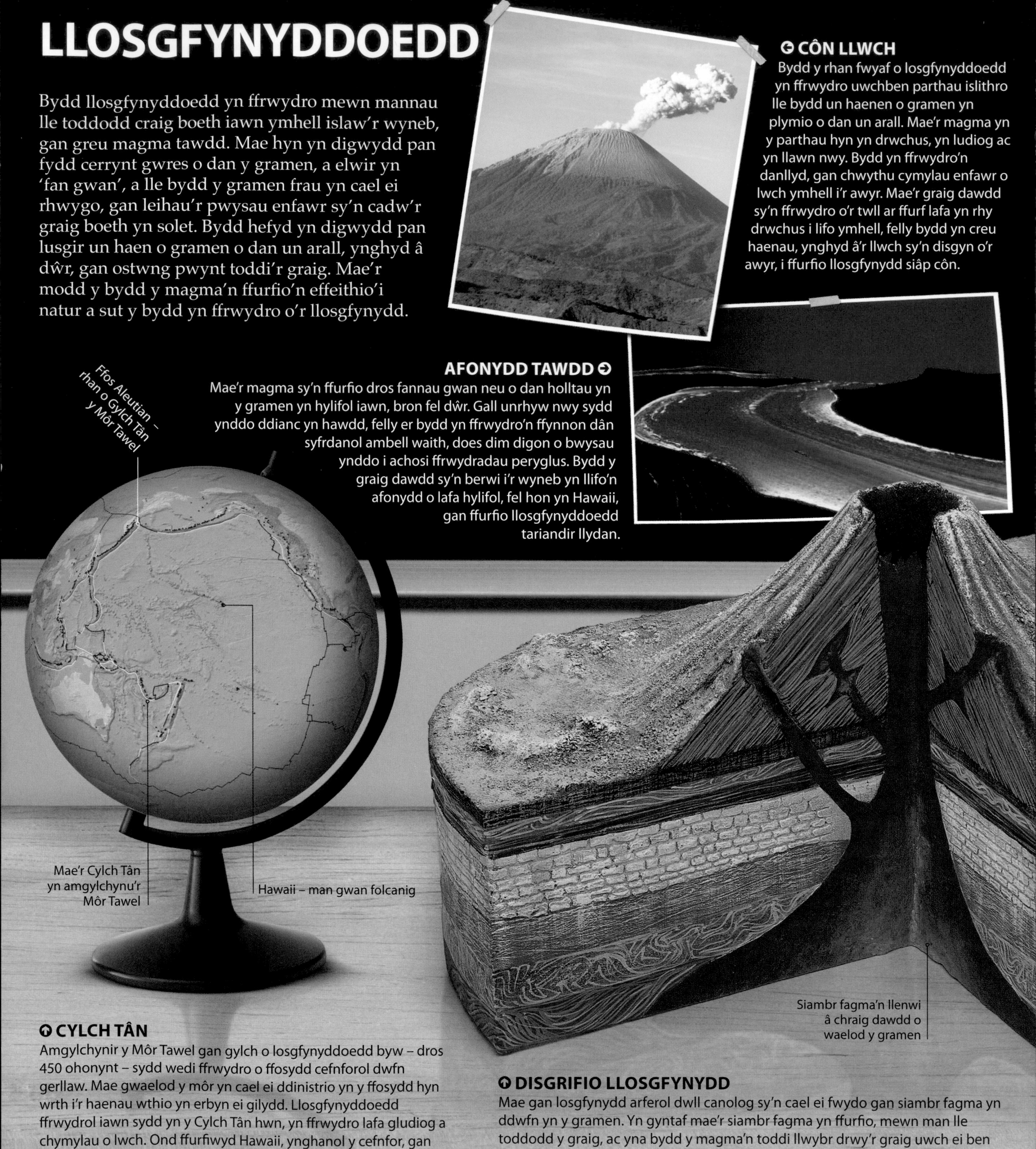

CÔN LLWCH

Bydd y rhan fwyaf o losgfynyddoedd yn ffrwydro uwchben parthau islithro lle bydd un haenen o gramen yn plymio o dan un arall. Mae'r magma yn y parthau hyn yn drwchus, yn ludiog ac yn llawn nwy. Bydd yn ffrwydro'n danllyd, gan chwythu cymylau enfawr o lwch ymhell i'r awyr. Mae'r graig dawdd sy'n ffrwydro o'r twll ar ffurf lafa yn rhy drwchus i lifo ymhell, felly bydd yn creu haenau, ynghyd â'r llwch sy'n disgyn o'r awyr, i ffurfio llosgfynydd siâp côn.

AFONYDD TAWDD

Mae'r magma sy'n ffurfio dros fannau gwan neu o dan holltau yn y gramen yn hylifol iawn, bron fel dŵr. Gall unrhyw nwy sydd ynddo ddianc yn hawdd, felly er bydd yn ffrwydro'n ffynnon dân syfrdanol ambell waith, does dim digon o bwysau ynddo i achosi ffrwydradau peryglus. Bydd y graig dawdd sy'n berwi i'r wyneb yn llifo'n afonydd o lafa hylifol, fel hon yn Hawaii, gan ffurfio llosgfynyddoedd tariandir llydan.

CYLCH TÂN

Amgylchynir y Môr Tawel gan gylch o losgfynyddoedd byw – dros 450 ohonynt – sydd wedi ffrwydro o ffosydd cefnforol dwfn gerllaw. Mae gwaelod y môr yn cael ei ddinistrio yn y ffosydd hyn wrth i'r haenau wthio yn erbyn ei gilydd. Llosgfynyddoedd ffrwydrol iawn sydd yn y Cylch Tân hwn, yn ffrwydro lafa gludiog a chymylau o lwch. Ond ffurfiwyd Hawaii, ynghanol y cefnfor, gan losgfynyddoedd uwch man gwan, sy'n ffrwydro lafa hylifol iawn.

DISGRIFIO LLOSGFYNYDD

Mae gan losgfynydd arferol dwll canolog sy'n cael ei fwydo gan siambr fagma yn ddwfn yn y gramen. Yn gyntaf mae'r siambr fagma yn ffurfio, mewn man lle toddodd y graig, ac yna bydd y magma'n toddi llwybr drwy'r graig uwch ei ben nes ffrwydro ar ffurf lafa, nwy a llwch. Gall hefyd wthio drwy holltau i ffurfio tyllau eraill. Bydd y lafa a'r rwbel sy'n ffrwydro o'r twll yn ffurfio côn y llosgfynydd.

➲ FFRWYDRADAU FOLCANIG

Gall lafa trwchus, gludiog gau twll llosgfynydd, ac os oes nwy'n casglu yn y twll, gall y llosgfynydd ffrwydro. Gall ffrwydrad mawr wagio'r siambr fagma gan achosi iddo ddymchwel a ffurfio ceudwll enfawr neu 'caldera'. Yn 1650CC dyma ddigwyddodd yn Santorini, Gwlad Groeg (a welir o'r gofod yn y llun). Llifodd dŵr y môr i'r caldera gan achosi ffrwydrad trychinebus a ddinistriodd boblogaeth a diwylliant ynys Creta gyfagos.

Ffrwydrodd llosgfynydd cyfoes ynghanol y caldera enfawr

➲ LLIF PYROCLASTIG

Bydd ambell ffrwydrad yn achosi cwymp marwol o graig chwilboeth a llwch a elwir yn llif pyroclastig. Bydd y llif yn rhuthro ar draws y tir ar gyflymder mawr, a gall deithio lawer ymhellach na lafa gwlyb. Un bach a welir yma ar Arenal yng Nghosta Rica. Yn 1902, ar ynys Martinique yn y Caribî, boddwyd dinas St Pierre gan lif pyroclastig o fynydd Mont Pelée, gan ladd 30,000 o bobl mewn dau funud.

Lafa gwlyb

Arwyneb crychiog y lafa pahoehoe yn dangos iddo fod yn wlyb iawn

Mae lafa llai hylifol yn ffurfio fel blociau cymalog wrth iddo oeri a chaledu

Lafa bras

➲ LAFA

Mae'r lafa gwlyb iawn sy'n llifo o losgfynyddoedd man gwan fel y rhai ar ynysoedd Hawaii yn ymledu a chaledu'n haenau o bilergraig dywyll. Wrth iddo oeri, gall yr wyneb grychu oherwydd symudiadau, gan greu effaith sy'n edrych fel rhaff. Yr enw am hyn yw pahoehoe – gair o Hawaii. Tuedd lafa mwy gludiog yw torri wrth iddo oeri, gan ffurfio darnau sy'n edrych fel glo. Po fwyaf gludiog yw'r lafa, y mwyaf tameidiog ydyw, a bydd y darnau'n aml yn llawn swigod nwy.

FFRWYDRADAU FOLCANIG

Llosgfynyddoedd yw rhai o'r grymoedd mwyaf nerthol ar y blaned a gall eu ffrwydradau achosi dinistr tu hwnt i'r dychymyg. Yn rhyfedd ddigon, y llosgfynyddoedd mwyaf byw sy'n achosi'r niwed lleiaf yn aml, oherwydd eu bod yn rhyddhau ynni dipyn bach ar y tro, mewn modd trawiadol ond hawdd ei ragweld. Y llosgfynyddoedd mwyaf peryglus yw'r rheiny sy'n cysgu am flynyddoedd mawr, ond sy'n cronni ynni ar gyfer ffrwydradau enfawr. Dyma'r ffrwydradau folcanig sy'n gofiadwy mewn hanes.

❷ KILAUEA

Llosgfynydd mwyaf byw y Ddaear yw Kilauea yn Hawaii. Bu'n ffrwydro'n ddi-dor ers 1983, gan daflu llawer iawn o nwy a chraig dawdd allan o'r mynydd mewn ffynhonnau tân trawiadol ac afonydd hylifol o lafa pilergraig. Bydd y rhain yn llifo i lawr ochrau'r llosgfynydd i gyfeiriad yr arfordir, lle byddan nhw'n cwympo i'r môr mewn cymylau enfawr o stêm. Mewn mannau, caledodd wyneb y lafa i greu pibellau creigiog sy'n cario afonydd gwyllt o graig dawdd.

❶ MYNYDD ETNA

Mynydd Etna ar ynys Sisili yw llosgfynydd mwyaf a bywiocaf Ewrop. Mae ganddo hanes o ffrwydro'n gyson ers 2,500 o flynyddoedd. Bydd Etna'n cynhyrchu afonydd o lafa pilergraig sy'n llifo'n gyflym gan ddinistrio pentrefi a threfi, yn fwyaf nodedig yn 1669 a 1928. Yn y gorffennol pell, cafwyd ffrwydradau trychinebus yma hefyd.

❸ KRAKATAU

Dyma un o'r cannoedd o losgfynyddoedd sydd wedi creu ynysoedd Indonesia; mae'n enwog am ffrwydrad trychinebus yn 1883 a laddodd dros 36,000 o bobl. Ffrwydrodd y llosgfynydd cyn dymchwel i geudwll enfawr neu 'caldera' yn y môr, gan achosi tswnamïau a foddodd arfordiroedd Jafa a Swmatra. Gallai pobl glywed y ffrwydrad dros 4,800 km (3,000 milltir) i ffwrdd, a dyma'r sŵn mwyaf a gofnodwyd erioed.

❹ MOUNT ST HELENS

Ym mis Mai 1980, chwythodd ffrwydrad enfawr gopa'r mynydd hwn, yng nghadwyn mynyddoedd Cascade yng Ngogledd America, i ffwrdd. Taflodd y ffrwydrad gwmwl o lwch poeth 24 km (15 milltir) i'r awyr, a llorio 10 miliwn o goed. Yn ffodus, roedd y llosgfynydd yn cael ei fonitro gan wyddonwyr a welodd ochr y mynydd yn bochio wrth i'r pwysau gynyddu. Llwyddwyd i symud pawb bron o'r ardal cyn y ffrwydrad, a dim ond 60 o bobl fu farw.

❺ SURTSEY

Mae Gwlad yr Iâ yn rhan o Grib Canol Môr Iwerydd – yr hollt folcanig sy'n peri i Fôr Iwerydd ledu bob blwyddyn. Mae gan Wlad yr Iâ o leiaf wyth llosgfynydd byw, ac yn 1963, ffrwydrodd llosgfynydd newydd o hollt i'r de o'r ynys, gan ferwi o'r môr mewn cwmwl o lwch a stêm. Rhoddwyd yr enw Surtsey arno a daliodd ati i ffrwydro tan 1967. Bu'n cysgu ers hynny ac mae tonnau'r môr yn ei erydu'n araf.

❻ FESWFIWS

Yn Oes y Rhufeiniaid, credai pawb bod Mynydd Feswfiws yn yr Eidal wedi marw, ond yn y flwyddyn 79OC ffrwydrodd y llosgfynydd yn ffyrnig gan daflu haenau trwchus o lwch eirias a rwbel dros dref gyfagos Pompeii. Llwyddodd llawer o'r trigolion i ddianc cyn y prif ffrwydrad, ond trechwyd llawer mwy, a'u lladd – gan gynnwys y ci hwn. Darganfuwyd y ceudyllau a adawyd gan eu cyrff pan gloddiwyd y ddinas yn y 1860au.

❼ OLYMPUS MONS

Nid dim ond ar y Ddaear y ceir llosgfynyddoedd. Llosgfynydd enfawr ar y blaned Mawrth yw Olympus Mons. Mae'n 27 km (16.7 milltir) o uchder, mwy na dwy waith uwch na Mauna Kea, llosgfynydd mwya'r Ddaear. Mae ganddo'r un siâp â Mauna Kea, ac mae'n debyg iddo ffurfio yn yr un modd, oherwydd man gwan o dan y gramen.

PISTYLLAU A FFYNHONNAU

Mewn rhai ardaloedd folcanig, bydd dŵr yn treiddio i lawr drwy'r ddaear gan ddod i gyswllt â chraig boeth iawn. Fel arfer bydd yn berwi yn ôl i'r wyneb, ond mewn ambell fan, bydd pwysau'r dŵr yn cynyddu'r pwysedd gan rwystro'r dŵr poeth rhag troi'n stêm. Yn y pen draw bydd peth o'r dŵr yn cael ei wthio drwy bibell yn y graig gan beri i'r pwysau ddisgyn eto. Mae hyn yn peri i'r dŵr berw droi'n stêm ar unwaith, gan wthio unrhyw ddŵr sy'n weddill dan y ddaear allan ar ffurf pistyll poeth.

PISTYLL POETH FLY

Yn 1916, trawodd dril mawr yn anialwch Nevada, UDA, yn erbyn ffynhonnell o ddŵr berw, gan greu pistyll poeth ffug. Ddegawdau'n ddiweddarach, daeth y dŵr poeth iawn o hyd i ffordd arall o gyrraedd yr wyneb, gan greu pistyll poeth naturiol, ac mae iddo sawl twll bellach. Yn wahanol i'r rhan fwyaf o bistyllau poeth, mae'n arllwys dŵr drwy'r amser, gan greu pinaclau creigiog o ddyddodion mwynol.

Dŵr poeth iawn yn ffrwydro i fyny a throi'n stêm

OLD FAITHFUL

Yr enwocaf o ryw 200 o bistyllau poeth yn ardal Yellowstone yn yr Unol Daleithiau yw Old Faithful. Cafodd ei enw am ei fod yn ffrwydro bob 67 munud, ar gyfartaledd. Bydd pob ffrwydrad yn anfon saeth o stêm a dŵr poeth hyd at 55m (180 troedfedd) i'r awyr. Bydd hynny'n gwagio'r stôr o ddŵr, ac fe gymer ryw 67 munud i ail-lenwi a chynhesu digon i ffrwydro eto.

Y dŵr poeth yn cael ei ddal mewn pyllau rhwng terasau mwynol

MWD BERWEDIG

Gall y dŵr poeth sy'n creu pistyll poeth hefyd ffurfio pyllau twym o fwd gwlyb. Gwelir y pyllau mwd yn y llun yn Rotorua, Seland Newydd, un o'r ardaloedd prysuraf ar gyfer pistyllau poeth yn y byd. Yn debyg i Yellowstone yn UDA, mae'n rhan o ardal o weithgarwch folcanig ehangach. Cafwyd ffrwydrad folcanig enfawr yn Rotorua ryw 800 mlynedd yn ôl, ond bellach mae'n ardal lewyrchus ar gyfer ymwelwyr.

MWYNAU ANWEDDFAEN

Pan fydd dŵr yn twymo o dan bwysau yn y Ddaear, bydd yn toddi llawer o fwynau o greigiau tanddaearol. Os bydd y dŵr yn ffrwydro o bistyll neu ffynnon boeth, bydd proses o anweddu ac oeri'n troi'r mwynau'n solet eto, gan greu anweddfeini fel y rhain yn ffynhonnau poeth Mammoth yn Yellowstone. Bob dydd, bydd y dŵr yn ychwanegu tua 2,000 kg (4,400 pwys) o fwynau at y terasau hyn.

Terasau o galsit toddadwy

Bydd tua 250 macaco yn defnyddio'r pyllau poeth

YNNI DAEARWRESOL

Gellir defnyddio'r dŵr berw sy'n gyrru pistyllau a ffynhonnau poeth i greu ynni. Yng Ngwlad yr Iâ a rhannau eraill o'r byd, defnyddir y dŵr berw i yrru ffatrïoedd sy'n cynhyrchu trydan. Cynhesir Reykjavik, prifddinas Gwlad yr Iâ, gan y dŵr poeth hwn, ac mae gan y ddinas byllau nofio awyr-agored yn llawn o ddŵr daearwresol.

FFYNHONNAU POETH

Yn Yamanouchi ger Nagano yng nghanolbarth Japan, mae ffynhonnau poeth yn bwydo cyfres o byllau fry yn y mynyddoedd oer. Bydd tymheredd y dŵr tua 50°C (122°F) drwy'r amser, a darganfu'r mwncïod macaco Japan lleol – mwncïod yr eira – bod nofio yn y pyllau'n ffordd ardderchog o gadw'n gynnes mewn hinsawdd lle gall y tymheredd ddisgyn mor oer â -15° (5°F).

MYGWR DU

Bydd dŵr y môr sy'n treiddio drwy holltau yng nghramen cribau gwaelod y môr yn cael ei gynhesu wrth ddod i gyswllt â chraig folcanig, cyn cael ei chwythu allan drwy dyllau dŵrwresol. Mae'r dŵr yn anweddu mwynau o'r graig a gwaelod y môr, ond wrth i'r cymysgedd poeth gyffwrdd â dŵr oer y môr, ffurfia'r cemegau gymylau duon sy'n edrych fel mwg.

CREIGIAU TONNOG
Yn Vermillion Cliffs, Arizona, UDA, erydwyd twyni tywod hynafol yr anialwch, a drowyd yn graig solet, yn siapiau eithriadol gan nerth y gwynt. Mae'r creigiau o leiaf 165 miliwn mlwydd oed.

Creigiau a mwynau

MWYNAU A GEMAU

Mwynau yw'r deunyddiau solet naturiol sy'n ffurfio creigiau. Dim ond un elfen a geir mewn rhai, pan fydd pob atom ynddynt yr un peth. Dyna yw diemwnt, ffurf bur iawn ar garbon. Ond cymysgedd o ddau neu ragor o elfennau gwahanol yw'r rhan fwyaf o'r 4,000 o fwynau y gwyddom amdanynt. Cymysgedd o silicon ac ocsigen yw cwarts, er enghraifft. Bydd y rhan fwyaf o fwynau'n ffurfio crisialau – siapiau geometrig sy'n adlewyrchu'r ffordd y rhwymwyd yr atomau ynghyd. Gellir torri a sgleinio rhai mwynau i greu gemau gwerthfawr.

❶ CREIGHALEN

Yr un mwyn â halen a ddefnyddir wrth goginio yw creighalen, a elwir weithiau'n halen craig. Cymysgedd o sodiwm a chlorin ydyw. Crëwyd dyddodion creighalen yn ddwfn o dan y ddaear wrth i ddŵr hallt hen gefnforoedd anweddu. Mae'n ffurfio crisialau siâp ciwb, y gellir eu gweld weithiau mewn halen bwrdd bras, ac mae'n ddi-liw os yw'n bur.

❷ CWARTS

Dyma'r mwyn a geir amlaf ar wyneb y Ddaear, ac mae'n un o brif gynhwysion ithfaen a chreigiau caled eraill a ffurfiodd o fagma eirias. Pan erydir y creigiau hyn, bydd y crisialau cwarts caled yn dueddol o aros ar ffurf tywod, a chânt eu defnyddio i wneud gwydr. Mae sawl math lliwgar o gwarts, megis amethyst porffor, yn emau gwerthfawr.

❸ OLIFIN

Fel cwarts, seiliwyd olifin ar silica – cymysgedd o silicon ac ocsigen, sy'n sail i'r rhan fwyaf o greigiau – ond mae hefyd yn cynnwys haearn a magnesiwm. Ceir mwy ohono na chwarts, ond o dan gramen y Ddaear, gan mai hwn yw prif gynhwysyn peridotit, y graig sy'n llunio'r rhan fwyaf o fantell ddofn y blaned. Gwyrdd yw crisialau olifin fel arfer, fel y gwelir yma.

❹ DIEMWNT A GRAFFIT

Er mai carbon pur yw'r ddau, mae diemwnt a graffit yn edrych yn bur wahanol. Diemwnt yw'r mwyn caletaf oll ac mae'n em werthfawr iawn, tra bo graffit yn fwyn meddal, brith, a ddefnyddir i wneud pensiliau. Y rheswm dros y gwahaniaeth yw bod gan ddiemwnt strwythur atomig cryf iawn, tra bo atomau graffit wedi'u trefnu'n haenau.

❺ SYLFFWR

Gwelir hwn fel arfer ar ymylon tyllau llosgfynyddoedd a ffynhonnau poeth. Mae sylffwr pur fel arfer yn fwyn melyn llachar. Un math o atom sydd ynddo ond cyfuna gydag elfennau eraill megis haearn ac ocsigen i ffurfio pyrit a sylffwr deuocsid. Mae'n gynhwysyn pwysig mewn llawer o gemegau artiffisial.

❻ CALSIT

Dyma un o'r mwynau mwyaf cyffredin eto, a phrif gynhwysyn carreg galch. Cregyn ac ysgerbydau mân-greaduriaid y môr ydynt yn y bôn, wedi amsugno'r mwyn o ddŵr y môr. Gellir toddi calsit yn hawdd gyda glaw ychydig yn asidig, ond mae'n ail-grisialu ar lawer ffurf.

7 BERYL

Dyma brif ffynhonnell beryliwm, un o'r metelau ysgafnaf, ond mae beryl yn fwy adnabyddus am ei grisialau mawr prismatig. Torrir y crisialau'n emau a chanddynt enwau gwahanol yn dibynnu pa liw ydyn nhw, megis emrallt gwyrdd tywyll a morlasfaen gwyrddlas. Mae rhai crisialau beryl yn enfawr – cafwyd hyd i forlasfaen ym Mrasil yn 1910 oedd yn pwyso 110.5 kg (243 pwys).

Mae beryl yn ffurfio crisialau hir chwe-ochrog

7

8 SIRCON

Mae sircon yn debyg i ddiemwnt a chaiff ei ddefnyddio fel gem yn aml. Mae'n grisial caled iawn ac yn anodd ei erydu, o ganlyniad, bydd yn goroesi pan fydd mwynau eraill yn cael eu dinistrio. Dyddiwyd rhai crisialau sircon o Awstralia drwy broses radiometrig a chanfod eu bod yn 4.2 biliwn mlwydd oed, bron mor hen â'r Ddaear a hŷn nag unrhyw beth arall ar y blaned.

Lliw brown-borffor sydd i sircon fel arfer

8

Gall pyrocsen fod yn enfawr, heb grisialau amlwg

9

Enw arall ar ffelsbar pinc yw orthoclas

10

9 PYROCSEN

Dyma un o'r mwynau pwysicaf o ran ffurfio creigiau; mae'n gynhwysyn hollbwysig mewn creigiau fel pilergraig ar waelod y môr. Gall gynnwys llawer o elfennau metelaidd megis haearn, magnesiwm neu ditaniwm ond mewn cyfuniad â silicon ac ocsigen bob amser. Mae un math, jadit, yn gryf iawn, ac arferai gael ei ddefnyddio i wneud llafnau bwyeill.

10 FFELSBAR

Mae crisialau mawr, lliwgar o ffelsbar yn amlwg mewn llawer o fathau o ithfaen, a gellir eu gweld yn yr cerrig ithfaen gloyw a ddefnyddir i adeiladu. Bydd y crisialau'n aml yn dangos nodwedd a elwir yn efeillio, lle bydd strwythur y grisial yn gymesur ar hyd llinell ganol glir. Gall ffelsbar gynnwys sawl elfen, yn dibynnu ar y modd y ffurfiwyd ef, ond bydd ynddo alwminiwm a silicon bob amser.

Gellir hollti crisialau mica yn haenau teneuach

11

11 MICA

Dyma un o brif gynhwysion ithfaen a chreigiau tebyg. Mae cynnwys cemegol mica yn arbennig o gymhleth. Ffurfia grisialau gwastad, brau, chwe-ochrog rhyfedd. Gallant fod yn enfawr – darganfuwyd un grisial yn nwyrain Rwsia oedd yn mesur 5 metr sgwâr (54 troedfedd sgwâr). Mae tymheredd toddi mica'n uchel iawn, ac weithiau defnyddir haenau tenau, tryloyw ohono i wneud ffenestri mewn ffwrneisi.

12

Nid oes crisialau mewn talc fel arfer

12 TALC

Dyma'r mwyn mwyaf meddal, a gellir ei grafu ag ewin. Weithiau gelwir talc yn garreg sebon oherwydd ei fod yn teimlo'n sebonllyd. Defnyddir talc ar gyfer cerfio ac i'w falu'n bowdr talc, ond caiff ei ddefnyddio'n bennaf i wneud offer serameg sy'n gwrthsefyll gwres, megis offer cegin, ac i wneud papur.

Gwneir caniau diod ysgafn o aloi alwminiwm
Cymysgedd o sinc, haearn a sylffwr yw sffalerit
Gwneir casys watsys o ditaniwm yn aml
1
2
Batri car
Mae galena'n fwyn trwm iawn
Er bod garnierit yn cynnwys hyd at 40% o nicel, mae'n fwyn prin iawn
Daw haearn o ocsid haearn, sydd yr un peth â rhwd
4
5
6
Cawn y rhan fwyaf o gopr wrth drin mwynau fel calcopyrit
Weithiau bydd aur yn sownd mewn mwynau megis cwarts
Mae carreg goch yn drwm iawn, yn goch tywyll ac yn gymysgedd o arian byw a sylffwr
8
9
10
Bydd arian byw pur yn toddi ar dymheredd o -39°C (-38°F) felly prin y bydd neb yn ei weld ar ffurf solet

METELAU

Heblaw am gymysgedd aloi artiffisial, elfennau yw pob metel – deunyddiau sy'n cynnwys un math o atom yn unig. Gellir darganfod rhai, fel aur ac arian, yn naturiol mewn ffurf 'bur', ond daw'r rhan fwyaf o fetelau ar ffurf fwy cymhleth o'r enw mwynau. Daw haearn, er enghraifft, o gymysgedd o haearn ac ocsigen o'r enw ocsid haearn. Ar ôl eu puro, bydd metelau'n galed ac yn hawdd eu trin, a dyna sut eu bod mor ddefnyddiol. Maen nhw hefyd yn cludo gwres a thrydan yn dda, gan eu gwneud yn hanfodol ar gyfer technoleg fodern.

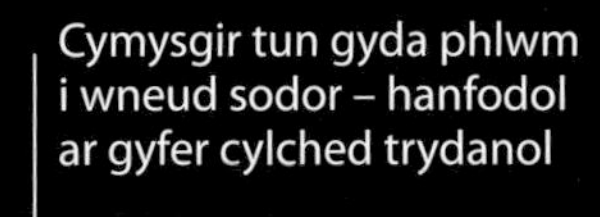
Cymysgir tun gyda phlwm i wneud sodor – hanfodol ar gyfer cylched trydanol

Ceir arian naturiol mewn gwythiennau mwynol ar ffurf brigau neu fel weiren

1 Alwminiwm Mae alwminiwm yn ysgafn iawn, mae'n cludo trydan yn dda ac nid yw'n rhydu'n hawdd. Yn ei ffurf naturiol, mae braidd yn feddal felly caiff ei gymysgu â metelau eraill i wneud aloi cryfach, lle bydd ysgafnder yn elfen bwysig – mewn awyrennau, er enghraifft. Ceir alwminiwm mewn mwyn cymhleth ond sydd i'w gael yn helaeth o'r enw bocsit.

2 Sinc Defnyddir y metel gwyn hwn, a ddaw o fwyn o'r enw sffalerit, fel gorchudd i rwystro dur rhag rhydu, proses orchuddio o'r enw galfaneiddio. Caiff ei gymysgu gyda chopr i wneud pres, metel melyn sgleiniog a ddefnyddir i wneud dolenni drysau a metel addurniadol.

3 Titaniwm Fel alwminiwm, dyma fetel ysgafn iawn, ond mae'n galetach ac yn llawer cryfach. Mae hefyd yn llawer prinnach, felly caiff ei gyfuno fel arfer gyda metelau eraill i wneud aloi gwydn ond ysgafn ar gyfer awyrennau a llongau gofod. Prif fwyn titaniwm yw rwlit, cymysgedd o ditaniwm ac ocsigen.

4 Plwm Mae plwm yn drwm iawn, yn toddi ar dymheredd isel ac yn feddal, sy'n ei wneud yn hawdd ei drin. Cafodd ei ddefnyddio ar gyfer pob math o bethau, o bibelli dŵr Rhufeinig i fatris car plwm-asid cyfoes. Cymysgedd o blwm a sylffwr o'r enw galena yw'r prif fwyn.

5 Nicel Mae'n debygol bod un rhan o bump o grombil y Ddaear yn nicel, a'r gweddill yn haearn. Ar yr wyneb, fe'i ceir mewn mwynau cymhleth fel garnierit. Cyfunir nicel a haearn i wneud yr aloi defnyddiol iawn dur gloyw, sydd ddim yn rhydu.

6 Haearn Haearn sy'n ffurfio'r rhan fwyaf o grombil y Ddaear ac mae'n gyffredin iawn mewn creigiau a phridd. Yn wir, dyma fetel mwyaf cyffredin y blaned. Mae'n bwysig iawn oherwydd ei fod mor galed, er ei fod yn frau ac yn rhydu'n ddrwg. Gellir puro haearn i wneud dur, sy'n haws i'w drin.

7 Tun Tua 4,000 o flynyddoedd yn ôl, darganfu trinwyr metel cynnar bod cymysgu ychydig o dun tawdd gyda chopr tawdd yn gwneud aloi llawer cryfach, efydd. Cawsant afael ar y tun drwy gynhesu mwynau fel caserit i dymheredd o 1,000 °C (1,800° F) mewn ffwrnais olosg.

8 Copr Dyma un o'r metelau cyntaf i gael eu defnyddio gan ddyn, a hynny tua 7,000 o flynyddoedd yn ôl. Y rheswm am hyn yw y gellir ei gael yn ei ffurf naturiol, yr un peth ag aur. Mae'n cludo trydan yn ardderchog a chaiff ei ddefnyddio'n helaeth fel weiren gopr.

9 Aur Gan nad yw aur yn cyfuno'n dda gyda'r un elfen arall, fe'i ceir fel arfer fel talp gloyw neu ronynnau bach. Dydy aur ddim yn staenio chwaith, sy'n un rheswm pam ei fod mor werthfawr – ynghyd â'r ffaith ei fod yn brin. Er ei fod yn drwm iawn, gellir ei guro'n dafelli tenau.

10 Arian byw Dyma'r unig fetel sy'n hylif ar dymheredd ystafell. Daw arian byw o fwyn lliwgar o'r enw carreg goch. Mae'r metel yn fwyaf adnabyddus mewn thermomedrau meddygol, ond caiff ei ddefnyddio hefyd i wneud batris, offer trydanol a chefnau ariannaidd drychau.

11 Arian Fel aur, mae arian yn fetel prin sy'n feddal, yn hawdd ei drin ac ar gael yn ei ffurf naturiol. Dyma resymau pam y bu mor werthfawr am filoedd o flynyddoedd. Yn wahanol i aur, mae'n staenio, ond gall fod yn dlws iawn o'i sgleinio.

LLOSGFEINI

Mae llosgfeini'n cael eu creu gan gymysgedd tanllyd o fwynau sy'n ffrwydro o ganol y Ddaear ar ffurf magma neu lafa folcanig. Wrth i'r mwynau oeri, maen nhw'n ffurfio crisialau sydd wedi'u plethu ynghyd a dyna sy'n gyfrifol am gryfder y creigiau hyn. Mae rhai mwynau'n drymach na'i gilydd neu'n toddi ar dymheredd uwch, felly cânt eu gadael ar ôl wrth i graig danllyd wthio i'r wyneb. Oherwydd hynny, prin y bydd llosgfeini byth yr un peth â'r creigiau a'u ffurfiodd, ac maen nhw fel arfer yn ysgafnach hefyd. O ganlyniad i'r broses hon ffurfiwyd llawer o greigiau gwahanol o'r un deunydd crai.

❶ PERIDOTIT

Dyma'r graig sy'n ffurfio'r rhan fwyaf o fantell ddofn y Ddaear o dan y gramen – tua 80% o'r blaned. Mae'n brin ar yr wyneb, ac fe'i ceir ond lle bydd symudiadau mawr wedi ei wasgu drwy waelod y môr. Mae'n drwm iawn, a chaiff ei wneud o olifin gwyrdd tywyll, sy'n llawn o fagnesiwm a haearn.

❷ PILERGRAIG

Pilergraig dywyll, ddwys yw craig waelodol gwely'r môr. Mae'n ffrwydro o holltau mewn cribau ynghanol y cefnfor ac mewn mannau gwan lle ceir llosgfynyddoedd fel rhai Hawaii. Crëwyd pilergraig wrth doddi peridotit yn y fantell yn rhannol, er mwyn creu lafa hylifol iawn ac ynddo lawer llai o'r olifin trwm, gwyrdd sy'n gynhwysyn mor bwysig mewn peridotit. Mae hyn yn peri bod pilergraig yn ysgafnach hefyd.

❸ ANDESIT

Mae andesit yn cael ei enwi ar ôl yr Andes yn Ne America, lle ceir llawer ohono. Lafa folcanig wedi caledu ar ôl ffrwydro o ddyfnder y mynyddoedd ydyw. Yma, mae gwaelod pilergraig y môr yn cael ei lusgo o dan y cyfandir ac mae'n toddi. Mae llai o fwynau trwm yn y graig danllyd sy'n codi i'r wyneb, ac o ganlyniad mae andesit yn graig ysgafnach. Dyma un o'r prif greigiau sy'n ffurfio cyfandiroedd.

❷

❶

❸

4 ITHFAEN

Mae silica – y deunydd a ddefnyddir i wneud gwydr – i'w gael ymhob craig. Gall ffurfio mwynau cymharol ysgafn sy'n toddi ar dymheredd llawer is na'r mwynau trymion mewn creigiau fel pilergraig. Wrth i'r creigiau o dan y cyfandiroedd gynhesu, gall y mineralau silica ffurfio magma gludiog sy'n codi ac oeri, gan droi'n ithfaen cymharol ysgafn ond caled iawn. Ffelsbar gwelw a chwarts, gydag ychydig bach iawn o ddeunydd tywyll, trwm, ydyw.

5 RHYOLIT

Bydd y magma sy'n troi'n ithfaen fel arfer yn oeri yn ddwfn yn y gramen. Mae hyn yn cymryd amser maith gan adael i grisialau mawr dyfu a ffurfio'r ithfaen. Ond os daw'r magma i'r wyneb, bydd yn ffrwydro'n lafa gludiog iawn sy'n oeri'n gyflym ar ffurf rhyolit a'i ronynnau mân. Yr unig wahaniaeth rhwng y ddwy graig yw maint y crisialau, Yn yr un modd, bydd pilergraig sy'n oeri yn ddwfn yn y gramen yn ffurfio craig o ronynnau bras a elwir yn gabro.

6 GWYDRFAEN

Lafa folcanig a oerodd yn rhy sydyn i roi cyfle i grisialau ffurfio yw gwydrfaen. Gall pob math o lafa ei greu ond fel arfer mae'n cynnwys yr un mineralau a ryolit neu ithfaen. Pan fydd yn torri, mae'n gwneud patrwm tonnog fel cerrig fflint neu wydr, ac mae'r ymylon yr un mor finiog. Dyna pam y byddai'n cael ei ddefnyddio, fel fflint, ar gyfer gwneud offer cerrig yn y gorffennol. Mae wastad yn dywyll, ac fe'i defnyddiwyd fel gem hefyd.

7 CARREG BWMIS

Gall y lafa a ffrwydrodd o losgfynyddoedd gynnwys llawer o nwy. Bydd y nwy'n berwi allan o lafa pilergraig hylifol yn gyflym iawn, ond mae'n fwy anodd iddo ddianc o lafa mwy gludiog, llawn silica, fel rhyolit. Os yw'r graig yn caledu o gwmpas y swigod nwy, mae'n ffurfio pwmis. Mae'n debyg o ran ei strwythur i rwber ewynnog, ac mae'n ddigon ysgafn i arnofio ar ddŵr.

LLOSGFEINI'N YMWTHIO

Wrth i graig danllyd ffurfio'n ddwfn yn y gramen, mae'n gwthio'i ffordd i fyny drwy graciau neu mewn un talp mawr poeth. Bydd y magma gludiog sy'n ffurfio ithfaen yn dechrau caledu'n ddwfn o dan wyneb y ddaear fel arfer, gan greu ymwthiadau igneaidd o'r enw batholithau. Dros filiynau o flynyddoedd, bydd y graig uwchben yn gwisgo i ddatgelu'r rhain ar ffurf mynyddoedd ithfaen. Bydd lafa mwy hylifol yn tueddu i galedu mewn craciau i ffurfio deic, neu'n ymwthio rhwng haenau o graig i ffurfio sil. Gall lafa galedu yng nghrombil llosgfynydd marw hefyd, gan gael ei ddatgelu, ar ffurf plwg folcanig, gan erydiad.

BATHOLITHAU ITHFAEN

Un rhan o fatholith ithfaen enfawr sy'n gorwedd o dan ddinas Rio de Janeiro ym Mrasil yw talp crwn Mynydd y Dorth Siwgr. Wedi ei ffurfio'n ddwfn yng nghramen y ddaear, mae'r ithfaen yn llawer caletach na'r creigiau o gwmpas, a llwyddodd i wrthsefyll yr erydu sydd wedi dinistrio'r creigiau eraill. Batholith tebyg sy'n ffurfio mynyddoedd y Sierra Nevada yng Nghaliffornia, UDA.

DEIC

Os bydd craig danllyd yn gwthio drwy graciau fertigol bydd yn ffurfio talp o losgfaen a elwir yn ddeic. Am eu bod yn oeri'n llawer cynt nag ymwthiadau igneaidd mawr, bydd gan y graig grisialau llai a gall fod yn llawn o ronynnau mân. Mewn mannau, bydd deiciau'n creu cylch o gwmpas tyllau llosgfynyddoedd hynafol iawn, am iddynt ddatblygu mewn craciau crwn a ffurfiwyd pan ddymchwelodd y llosgfynydd.

PILERGREIGIAU LLIF

Haenau o bilergraig sydd dros 2 km (1.2 milltir) o drwch ac yn gorchuddio 500,000 km sgwâr (190,000 milltir sgwâr) yng nghanolbarth India yw'r Deccan Traps. Allwthiad, yn hytrach nag ymwthiad sydd yma, oherwydd ffurfiwyd y nodwedd hwn pan arllwysodd llawer iawn o bilergraig danllyd allan gan galedu'n haenau a welir yn y creigiau. Ffrwydrodd y fan hon tua 65 miliwn o flynyddoedd yn ôl, yr union adeg pan fu farw'r deinosoriaid, ac mae'n bosib bod cysylltiad rhwng y ddau ddigwyddiad.

PLYGIAU FOLCANIG

Gall y siambrau magma sydd o dan losgfynyddoedd galedu yn union fel batholithau ithfaen, unwaith y bydd y llosgfynyddoedd wedi marw. Os yw'r graig feddalach sy'n eu gorchuddio yn erydu i ffwrdd, datgelir y magma caled ar ffurf plwg folcanig. Dyna sut y ffurfiodd Tŵr y Diafol yn Wyoming, UDA. Wrth iddo oeri, crebachodd y graig a thorri'n golofnau fertigol sy'n rhoi golwg mor ddramatig iddo.

SIL

Os bydd craig danllyd yn ymwthio rhwng dwy haen o greigiau gwaddod, sil yw'r canlyniad. Fe all ffurfio ar unrhyw ongl, gan ddibynnu ar lethr yr haenau o graig. Haenen o bilergraig fras tua 30m (100 troedfedd) o drwch yw'r Whin Sill yng ngogledd ddwyrain Lloegr, sy'n gorwedd ar ychydig o ongl. Yr ymyl sy'n dod i'r golwg, gan ddangos craciau fertigol fel y rheiny yn Nhŵr y Diafol. Defnyddiodd y Rhufeiniaid y sil hwn yn sylfaen i Wal Hadrian, gan nodi ffin ogleddol eu hymerodraeth.

CALCHFAEN YN HYDODDI
Bydd glaw yn hydoddi carbon deuocsid o'r awyr a'i droi'n asid carbonig gwan. Mae hwn yn bwyta bron pob craig ond mae'n effeithio'n arbennig ar galchfaen. Bydd y dŵr yn agor craciau i greu pafinau gwastad, agennog ac ogofeydd. Ym Mryniau Guilin yn China, toddwyd llawer iawn o galchfaen gan adael y pinaclau unig hyn.

EFFAITH Y TYWYDD AC ERYDU

Unwaith y bydd craig solet yn dod i gyswllt â'r awyr, bydd y tywydd yn dechrau ymosod arni. Caiff ei phobi gan yr haul, ei chwalu gan rew, a'i hydoddi gan law, sy'n cynnwys ychydig o asid yn naturiol. Yn y cyfamser, efallai y caiff ei ysgythru gan dywod a chwythodd ar y gwynt, a chan ddarnau o graig yn llifo mewn dŵr neu iâ. Damaid ar y tro, bydd craig sy'n treulio'n cael ei gwisgo i ffwrdd – proses o'r enw erydiad. Mae hyn yn effeithio ar bob craig sydd yn y golwg, sut bynnag y cafodd ei ffurfio, er bod craig galed yn gallu gwrthsefyll yn well, ac yn gallu goroesi pan fydd craig fwy meddal wedi gwisgo'n ddim.

PŴER PLANHIGION
Mae gan bethau byw ran bwysig i'w chwarae wrth dorri creigiau. Gall gwreiddiau coeden fel hon dreiddio drwy graciau yn y graig a'u gwthio ar wahân. Mae cennau sy'n tyfu ar greigiau'n cynhyrchu asid sy'n toddi'r mwynau. Bydd creaduriaid microsgopig sy'n byw mewn pridd a hyd yn oed mewn creigiau yn ychwanegu at y pydru, gan droi'r mwynau'n ffurfiau eraill.

SYCHNENTYDD A CHEUNENTYDD
Pan geir stormydd glaw ffyrnig mewn anialwch, byddan nhw'n achosi llifogydd sydyn all arllwys dros graig noeth yn genlli, gan gerfio rhigolau a elwir yn sychnant, arroyo neu wadi. Bydd y dŵr yn llawn o dywod, cerrig a chreigiau sy'n erydu'r graig, dros filoedd o flynyddoedd, yn siapiau anhygoel, fel y rhain yn Hafn Antelop, UDA.

DIBLISGO
Ffurfir creigiau fel ithfaen yn ddwfn o dan y ddaear o dan bwysau a gwres eithafol. Pan ddônt i gyswllt ag awyr, maen nhw'n oeri a chrebachu wrth i'r pwysau leihau. Gall hyn achosi i'r haenau o graig hollti a phlicio fel croen winwnsyn neu nionyn – proses a elwir y ddiblisgo, ac sy'n cael ei gyflymu gan ddyddiau poeth a nosau oer.

CHWALU GAN REW

Mewn ardaloedd oer ac ar fynyddoedd uchel, bydd dŵr sy'n treiddio i graciau a thyllau'n rhewi dros nos, gan ymestyn wrth iddo droi'n iâ. Mae hyn yn rhoi pwysau mawr iawn ar y graig, a'i gwthio ar wahân. Gall rhewi a dadmer dro ar ôl tro chwalu'r graig, gan greu pentyrrau o rwbel o'r enw sgri all ffurfio llethrau serth ar waelod clogwyni a chwalwyd gan rew. Gelllir gweld hyn yn glir ym mynyddoedd Eryri yng ngogledd Cymru.

CNWC A MESA

Mae Dyffryn Cofadail (Monument Valley) yng ngorllewin UDA yn dirwedd lle ceir llwyfandiroedd unig a phinaclau. Yr enwau cywir am y rhain yw mesa a chnwc. Cawsant eu creu dros filiynau o flynyddoedd gan lifogydd sydyn yn yr anialwch yn arllwys dros dir sych oedd yn cael ei godi gan symudiad y Ddaear. Erydwyd y rhan fwyaf o'r wyneb gan adael y cofadeiliau rhyfedd hyn.

Creigiau serth y mesa (llwyfandir) yn dangos haenau llorweddol y graig

SGWRIO Â THYWOD

Mewn anialdiroedd, prin yw'r planhigion sy'n clymu'r pridd at ei gilydd, felly gall y gwynt godi gronynnau o dywod a'u taflu at y creigiau. Bydd y tywod yn agor unrhyw hollt ond gall hefyd lyfnhau wyneb y graig yn batrymau dolennog fel y rhain yng Nghnwc Coyote (Coyotte Buttes), UDA. Mae'r llinellau tro yn dangos hen haenau'r graig.

TONNAU'N TORRI

Ar arfordiroedd agored, bydd tonnau mawr yn torri dros y graig gan dreiddio i bob hollt gyda phwysau mor fawr nes gallu chwalu'r graig. Bydd rwbel creigiog a godwyd gan y tonnau'n cwblhau'r gwaith chwalu. Fel y dengys yr ynysoedd siâp madarch hyn yn y Môr Tawel, mae'r holl erydu'n digwydd ar lefel y don, gan dorri'r graig o'r gwaelod a pheri iddi ddymchwel i'r môr.

CLUDO A DYDDODI

Golchir y rwbel a erydwyd o wyneb craig i ffwrdd gan ddŵr a gwynt, naill ai drwy ei rolio neu ei symud yn araf i ffwrdd neu, os yw'r darnau'n ddigon mân, drwy eu golchi i ffwrdd mewn hylif. Wrth i ddŵr afon arafu, bydd yn gollwng y gronynnau trymaf, ond yn parhau i symud y rhai ysgafnach. Fel arfer bydd hyn yn golygu y caiff gronynnau eu gollwng yn ôl eu maint. Bydd y gronynnau ysgafnaf o silt a mwd yn dod i ben eu taith lle bydd llif afon yn fwyaf araf.

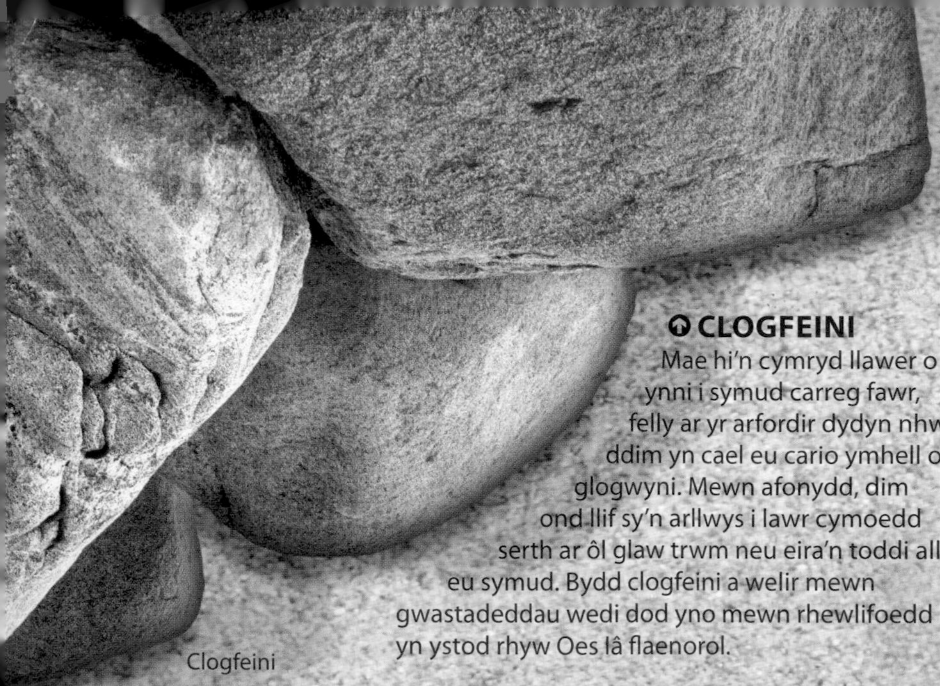

CLOGFEINI

Mae hi'n cymryd llawer o ynni i symud carreg fawr, felly ar yr arfordir dydyn nhw ddim yn cael eu cario ymhell o glogwyni. Mewn afonydd, dim ond llif sy'n arllwys i lawr cymoedd serth ar ôl glaw trwm neu eira'n toddi all eu symud. Bydd clogfeini a welir mewn gwastadeddau wedi dod yno mewn rhewlifoedd yn ystod rhyw Oes Iâ flaenorol.

Clogfeini

Cerrig bach

Ymylon crwn o ganlyniad i gael eu cludo mewn dŵr

CERRIG BACH

Dros y blynyddoedd, bydd clogfeini'n chwalu a thorri'n gerrig bach, ysgafnach, sy'n gallu cael eu taflu o gwmpas gan gerrynt y dŵr a'u cludo lawer pellach. Bydd y rholio a'r treiglo sy'n digwydd oherwydd y dŵr yn torri pob cornel oddi ar y cerrig, gan greu cerrig bach crwn a hyd yn oed ddarnau llai o raean.

GWELYAU GRAEAN

Bydd afonydd yn y tiroedd uchel yn chwyddo'n genlli pan fydd yr eira'n toddi yn y gwanwyn. Mae'r dŵr cyflym yn cludo llawer iawn o gerrig mân, cyn eu gollwng mewn llecynnau tawel ar yr afon ar ffurf gwelyau graean. Ceir y rhain mewn gwastadeddau hefyd lle bu llifeiriant adeg rhyw Oes Iâ flaenorol.

TRAETHAU TYWODLYD

Rhwng penrhynion agored ar yr arfordir ceir yn aml draethau tywodlyd. Y tywod yw'r unig beth sydd ar ôl wedi i graig solet gael ei chwalu gan y tonnau. Bydd y cerrynt yn sgubo'r tywod i fae cysgodol, lle caiff ei ollwng am nad yw'r dŵr yn symud cymaint yno.

Graean

LLWCH AR YR AWEL

Gall gwyntoedd cryfion godi llwch mân a'i gario ymhell iawn cyn ei ollwng i greu gwelyau o ddyddodion mân o'r enw marianbridd, neu loess. Yng ngogledd China y mae'r un enwocaf, lle trodd dyddodion mawr o loess melyn yn sylfaen tir amaeth ir. Ond mae'n erydu'n hawdd a chafodd yr Afon Felen ei henw oherwydd ei bod hi'n cludo cymaint o loess i'r Môr Melyn.

TWYNI TYWOD

Gall y gwynt godi tywod sych yn dwyni enfawr, ar yr arfordir ac mewn anialdiroedd. Mae'n bownsio'r tywod i fyny llethrau'r ochr wyntog nes iddyn nhw rollo dros y grib, ac yn araf bach bydd y twyn yn cropian gyda'r gwynt. Ar yr arfordir, mae twyni'n sefydlogi wrth symud dros y tir, ond bydd rhai newydd yn dal i dyfu. Gall twyni yn yr anialwch ddal ati i symud am filoedd o flynyddoedd gan ffurfio 'moroedd tywod' enfawr mewn ardaloedd fel Arabia.

Cymylau o ddyddodion wedi'u golchi i'r môr

DELTA A BWA

Gall afon sy'n llifo'n gyflym gario llwythi enfawr o ddyddodion yr holl ffordd i'r môr. Yno bydd yr afon yn colli'i grym, a bydd y dyddodion yn disgyn i waelod y môr a chreu bwa tanfor enfawr, mor drwm nes y gall blygu cramen y Ddaear. Ar yr un pryd, bydd aber yr afon yn symud tua'r môr i ffurfio delta bas yn llawn o sianelau bach, fel y gwelir yn y llun lloeren o Ddelta afon Ganges ym Mangladesh.

ABEROEDD MWDLYD

Pan fydd afonydd sy'n llifo'n araf yn nesu at yr arfordir, bydd unrhyw ronynnau yn y dŵr yn cwympo a ffurfio haenau trwchus o fwd yn y rhannau isaf lle bydd llanw. Mae hyn yn rhannol am fod y llanw wrth iddo godi yn rhwystro'r afon rhag llifo, ond yn ogystal, mae dŵr hallt yn peri i'r gronynnau mwd lynu ynghyd a thrymhau gan achosi iddyn nhw suddo. Daw'r draethell i'r golwg ar lanw isel, ar ôl i ddŵr y môr ei datgelu.

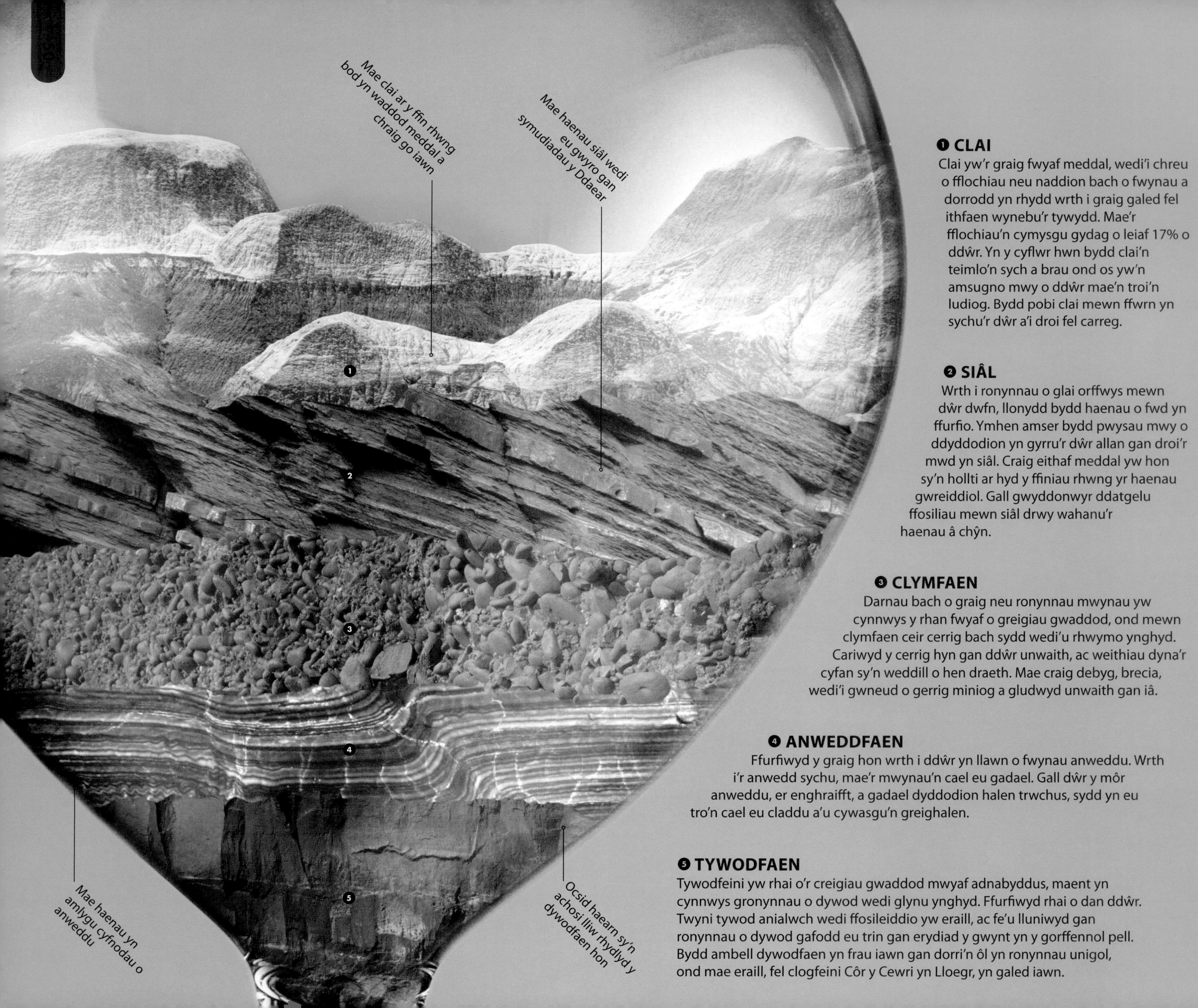

❶ CLAI

Clai yw'r graig fwyaf meddal, wedi'i chreu o fflochiau neu naddion bach o fwynau a dorrodd yn rhydd wrth i graig galed fel ithfaen wynebu'r tywydd. Mae'r fflochiau'n cymysgu gydag o leiaf 17% o ddŵr. Yn y cyflwr hwn bydd clai'n teimlo'n sych a brau ond os yw'n amsugno mwy o ddŵr mae'n troi'n ludiog. Bydd pobi clai mewn ffwrn yn sychu'r dŵr a'i droi fel carreg.

❷ SIÂL

Wrth i ronynnau o glai orffwys mewn dŵr dwfn, llonydd bydd haenau o fwd yn ffurfio. Ymhen amser bydd pwysau mwy o ddyddodion yn gyrru'r dŵr allan gan droi'r mwd yn siâl. Craig eithaf meddal yw hon sy'n hollti ar hyd y ffiniau rhwng yr haenau gwreiddiol. Gall gwyddonwyr ddatgelu ffosiliau mewn siâl drwy wahanu'r haenau â chŷn.

❸ CLYMFAEN

Darnau bach o graig neu ronynnau mwynau yw cynnwys y rhan fwyaf o greigiau gwaddod, ond mewn clymfaen ceir cerrig bach sydd wedi'u rhwymo ynghyd. Cariwyd y cerrig hyn gan ddŵr unwaith, ac weithiau dyna'r cyfan sy'n weddill o hen draeth. Mae craig debyg, brecia, wedi'i gwneud o gerrig miniog a gludwyd unwaith gan iâ.

❹ ANWEDDFAEN

Ffurfiwyd y graig hon wrth i ddŵr yn llawn o fwynau anweddu. Wrth i'r anwedd sychu, mae'r mwynau'n cael eu gadael. Gall dŵr y môr anweddu, er enghraifft, a gadael dyddodion halen trwchus, sydd yn eu tro'n cael eu claddu a'u cywasgu'n greighalen.

❺ TYWODFAEN

Tywodfeini yw rhai o'r creigiau gwaddod mwyaf adnabyddus, maent yn cynnwys gronynnau o dywod wedi glynu ynghyd. Ffurfiwyd rhai o dan ddŵr. Twyni tywod anialwch wedi ffosileiddio yw eraill, ac fe'u lluniwyd gan ronynnau o dywod gafodd eu trin gan erydiad y gwynt yn y gorffennol pell. Bydd ambell dywodfaen yn frau iawn gan dorri'n ôl yn ronynnau unigol, ond mae eraill, fel clogfeini Côr y Cewri yn Lloegr, yn galed iawn.

CREIGIAU GWADDOD

Gall dyddodion sy'n cael eu cario gan ddŵr neu wynt bentyrru'n haenau dwfn, naill ai ar dir neu, yn amlach, ar waelod y môr. Wrth i fwy o ddeunydd gael ei ychwanegu, bydd y pwysau'n cywasgu'r haenau isaf. Dros filiynau o flynyddoedd bydd mwynau yn y dŵr yn clymu'r gronynnau o waddod yn ei gilydd i ffurfio creigiau gwaddod. O rwbel creigiau y ffurfiwyd y rhan fwyaf o'r rhain ond gwnaed calchfaen o ysgerbydau a chregyn mân-greaduriaid y môr, tra bo glo wedi'i ffurfio o olion hen, hen blanhigion marw.

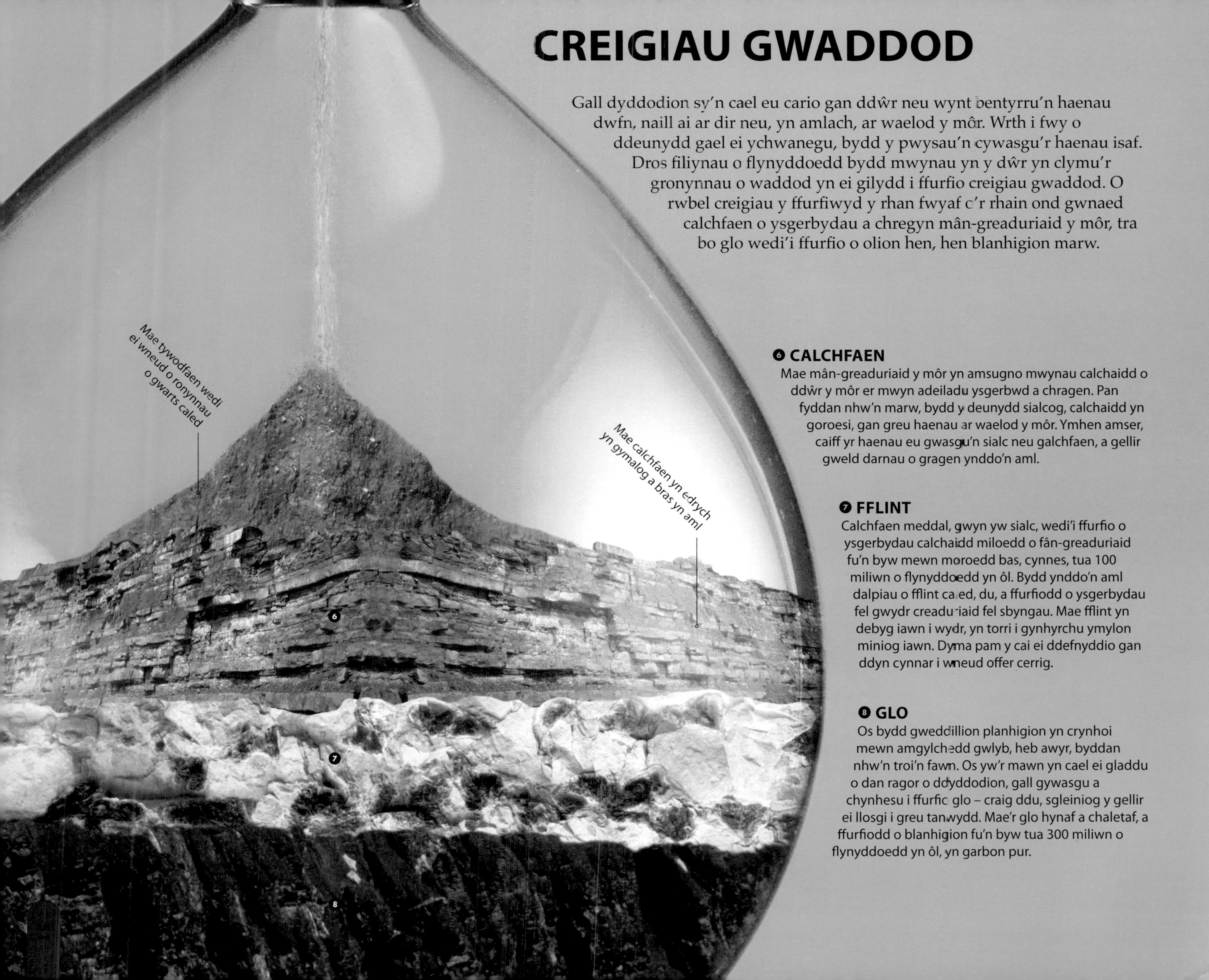

6 CALCHFAEN

Mae mân-greaduriaid y môr yn amsugno mwynau calchaidd o ddŵr y môr er mwyn adeiladu ysgerbwd a chragen. Pan fyddan nhw'n marw, bydd y deunydd sialcog, calchaidd yn goroesi, gan greu haenau ar waelod y môr. Ymhen amser, caiff yr haenau eu gwasgu'n sialc neu galchfaen, a gellir gweld darnau o gragen ynddo'n aml.

7 FFLINT

Calchfaen meddal, gwyn yw sialc, wedi'i ffurfio o ysgerbydau calchaidd miloedd o fân-greaduriaid fu'n byw mewn moroedd bas, cynnes, tua 100 miliwn o flynyddoedd yn ôl. Bydd ynddo'n aml dalpiau o fflint caled, du, a ffurfiodd o ysgerbydau fel gwydr creaduriaid fel sbyngau. Mae fflint yn debyg iawn i wydr, yn torri i gynhyrchu ymylon miniog iawn. Dyma pam y cai ei ddefnyddio gan ddyn cynnar i wneud offer cerrig.

8 GLO

Os bydd gweddillion planhigion yn crynhoi mewn amgylchedd gwlyb, heb awyr, byddan nhw'n troi'n fawn. Os yw'r mawn yn cael ei gladdu o dan ragor o ddyddodion, gall gywasgu a chynhesu i ffurfio glo – craig ddu, sgleiniog y gellir ei llosgi i greu tanwydd. Mae'r glo hynaf a chaletaf, a ffurfiodd o blanhigion fu'n byw tua 300 miliwn o flynyddoedd yn ôl, yn garbon pur.

FFOSILIAU

Os yw olion pethau byw yn cael eu claddu gan ddyddodion sy'n troi'n graig, mae'n bosib eu cadw ar ffurf ffosiliau. Ffosil yw'r enw am unrhyw beth fu'n fyw unwaith, neu ei ôl, sy'n goroesi'r broses bydru arferol. Ond ffurfiwyd y rhan fwyaf o ffosiliau gan fwynau wrth iddyn nhw dreiddio i mewn i ddeunydd organig a'i droi'n garreg. Mae hyn fel arfer yn digwydd i gregyn caled neu esgyrn, ond wethiau cedwir y meinwe hefyd, gan roi gwybodaeth bwysig i ni am fywyd yn y gorffennol pell.

❶ FFOSILEIDDIO

Bydd popeth byw yn cael ei ddinistrio ar ôl iddo farw fel arfer, ond weithiau gall ambell beth gael ei orchuddio gan rywbeth sy'n eu hamddiffyn. Cedwyd corff trychfil neu gorryn, a foddodd mewn dafn o sudd gludiog o goeden filoedd o flynyddoedd yn ôl, yn y sudd caled, a elwir yn ambr. Gall cregyn neu esgyrn deinosor gael eu socian mewn dŵr sy'n llawn o fwynau fydd yn eu ffosileiddio'n araf. Gall ôl troed gael ei warchod, hyd yn oed, os cafodd ei gladdu a'r mwd wedyn yn troi'n graig.

❷ DARGANFOD

Claddwyd y ffosiliau gorau am filinyau o flynyddoedd, a dônt i'r golwg pan gaiff darn ei ddatgelu wrth i greigiau o amgylch gael eu herydu. Efallai y cânt eu gweld wrth i glogwyn ar lan y môr gwympo neu ar ôl glaw trwm. Bydd arbenigwyr yn dychwelyd dro ar ôl tro i'r safleoedd gorau. Unwaith y dônt o hyd i ffosil, byddan nhw'n dechrau tynnu'r graig i ffwrdd o gwmpas y lle.

❸ TYNNU

Mae hi'n hawdd symud ffosil bach, yn enwedig os yw'r graig sydd yn ei amgylchynu'n ddigon meddal. Gall ffosiliau mawr, fel esgyrn deinosoriaid, fod yn fwy lletchwith, am eu bod yn drwm ac yn fregus fel arfer. Bydd cloddwyr yn eu gorchuddio â phlastr cyn eu cloddio o'r lle. Yna byddan nhw'n ychwanegu mwy o blastr er mwyn symud y ffosil yn ddiogel i labordy.

❹ CADW

Prin y bydd ffosil yn dod o'r ddaear yn berffaith. Fel arfer bydd amgaen greigiog o'i gwmpas, a rhaid naddu hwn i ffwrdd gan ddefnyddio offer mor amrywiol â chŷn neu ddril deintydd. Pan fydd yr esgyrn wedi dod i'r golwg, cânt eu cadw, gyda côt o farnais, i'w hatal rhag chwalu. Yna gall gwyddonwyr geisio datrys sut arferai'r esgyrn fod yn sownd yn ei gilydd.

❻ FFOSILIAU AC ESBLYGIAD

Dengys ffosiliau fod anifeiliad sydd wedi marw o'r tir ychydig yn wahanol ac eto yn ddigon tebyg i anifeiliaid sy'n byw heddiw. Dyma roddodd y dystiolaeth gyntaf bod popeth byw yn esblygu'n ffurfiau newydd. Gellir dilyn hynt esblyqiad qyda ffosiliau – ond oherwydd na fyddwn ni'n dod o hyd i rai creaduriaid, fel adar, ar ffurf ffosiliau, mae gennym lawer i'w ddysgu o hyd.

❺ DEHONGLI

Esgyrn yn unig, neu hyd yn oed ddarnau o esgyrn, yw'r rhan fwyaf o ffosiliau. Gall gwyddonwyr ddefnyddio sganwyr meddygol i archwilio'r ffosil am bob manylyn, ond mae'n anodd gwybod sut roedd yr anifail yn edrych go iawn, na sut y byddai wedi byw. Weithiau bydd ambell gliw, fel olion plu neu gennau, a gall arbenigwyr ddefnyddio'r rhain i ail-greu darlun o'r anifail byw.

Crafanc deinosor

Trilobit

HAENAU'R GRAIG

Fel arfer bydd creigiau gwaddod yn gorwedd fesul haen o ddyddodiad meddal – mwd ar waelod llyn, er enghraifft. Mae'r haenau hynaf ar y gwaelod, felly os ydyn nhw'n cael eu gwasgu'n graig, yr haenau hynaf o graig hefyd fydd y rhai isaf. Ond mae modd i symudiadau'r Ddaear blygu a hyd yn oed wyrdroi'r haenau, felly rhaid i ddaearegwyr gael ffyrdd eraill o benderfynu beth yw oed craig. Gall natur a threfn haenau hefyd ddatgelu llawer am hinsawdd a digwyddiadau ymhell yn y gorffennol.

HAENAU LLORWEDDOL

Pan fydd dyddodion meddal yn cael eu troi'n graig heb i ddim darfu ar hynny, datblygant yn haenau llorweddol. Yr haenau isaf yw'r rhai hynaf. Mae'r creigiau hyn i gyd yn dyddio o'r Cyfnod Cretasig yn oes y deinosoriaid. Rhoddir yr enw Cretasig Is ar yr haenau brown a choch hynaf tra gelwir y sialc gwyn, iau, yn Gretasig Uwch.

TYSTIOLAETH O FFOSILIAU

Bellach gellir dyddio creigiau trwy ddefnyddio techneg o'r enw dyddio radiometrig. Cyn datblygu dyddio radiometrig, byddai'n rhaid dyddio creigiau yng nghyd-destun eu safle yn yr haenau. Gall creigiau gael eu dyddio hefyd yn ôl unrhyw ffosiliau sydd ynddynt, oherwydd bydd pethau byw yn dal i newid dros amser. Esgyrn mawr yw llawer o'r ffosiliau hyn ond cregyn ac olion creaduriaid y môr yw'r rhan fwyaf.

HAENAU TWYNI

Bydd dyddodion sy'n llonyddu mewn dŵr yn ffurfio haenau llorweddol bron bob amser. Ond bydd twyni tywod yn adeiladu mewn cyfres o haenau ar ongl wrth i'r tywod a chwythwyd gan y gwynt setlo ar ochr gysgodol y twyn. Os yw'r twyn yn troi'n dywodfaen, bydd modd gweld haenau'r tywod yn y graig. Bydd hyn yn dangos os yw craig wedi ffurfio mewn diffeithwch, hyd yn oed os yw ei lleoliad presennol mewn hinsawdd wlyb.

Tywod a osodwyd i lawr ar lethr twyn hynafol

PLYGU

Os bydd haenau o graig yn cael eu plygu'n sydyn gan ddaeargryn ffyrnig, byddan nhw'n torri. Ond bydd pwysau cyson dros gyfnod hir, neu ar dymheredd uchel, yn gallu plygu'r graig hefyd. Yn yr achos hwn, bydd yr haenau'n ymddangos ar ongl. Y rheswm am hyn yw mai dim ond rhan fach o blyg mawr iawn sydd yn y golwg. Weithiau bydd y plyg yn ddigon tyn i greu cribau a phantiau, a elwlr yn anticlin a sinclin, neu hyd yn oed trosblyg llwyr, sy'n troi'r haenau wyneb i waered.

WYNEBAU FFAWTIAU

Os bydd haenen o graig yn torri, y canlyniad yw wyneb ffawt, fel yr un y mae'r ddringwraig yn pwyso arno. Gall haenau dorri oherwydd pwysau sydyn neu bwysau eithafol, ond fel arfer byddan nhw'n torri am fod tyndra'n gwthio'r creigiau ar wahân. Bydd un ochr i'r ffawt yn cwympo o'i chymharu â'r ochr arall – neu'n cael ei gwthio i fyny o dan bwysau – ac ni fydd yr haenau'n cyfateb wedyn. Trwy gymharu'r haenau, mae modd gweld lle roedden nhw'n arfer cwrdd a faint o symud sydd wedi digwydd.

ANGHYDFFURFIOLDEB

Weithiau caiff hen haenau sydd wedi'u hystumio eu gwisgo'n ddim gan erydiad. Os gosodir rhagor o haenau o graig ar ben yr arwyneb llyfn, llorweddol hwn, mae'n creu effaith y bydd daearegwyr yn ei alw'n anghydffurfioldeb. Gellir ei weld os yw'r ddau fath o haen yn dod i'r golwg ar wyneb clogwyn. Tystiolaeth o newid dramatig ydyw fel cadwyn o fynyddoedd yn erydu a boddi o dan y môr.

SGIST

Caiff creigiau metamorffig eithaf meddal, fel llechi, eu creu o dan bwysau a gwres cymedrol. Os bydd y grymoedd hyn yn fwy crëir craig o'r enw sgist. Bydd sgist yn cynnwys crisialau mwy, fel mica disglair a garned coch tywyll. Bydd pob crisial wedi'i drefnu mewn haenau, fel yn achos llechi.

HAENITHFAEN

Tymheredd a phwysau uchel iawn sy'n creu'r creigiau metamorffig caletaf, sef gneis neu haenithfaen. Mae gan y creigiau hyn, sy'n debyg i ithfaen, haenau golau a thywyll amlwg, sy'n dangos sut y cawsant eu ffurfio. Mae gneis yn cynnwys rhai o'r creigiau hynaf ar y Ddaear, dônt o Ganada a'r Ynys Las. Ffurfiodd y rhain tua 4 biliwn o flynyddoedd yn ôl – er bod yn rhaid i'r creigiau a'u ffurfiodd nhw fod hyd yn oed yn hŷn.

MARMOR

Dyma un o'r creigiau metamorffig mwyaf cyffredin. Mae'n ffurf wahanol ar galchfaen. Cafodd rhai mathau o farmor eu pobi ac mae ffosiliau cyflawn o gregyn ynddyn nhw. Bydd eraill, fel y rhai hyn, wedi'u creu o dan bwysau mawr iawn, sydd wedi gwasgu'r mwynau'n haenau. Calsid meddal yw marmor yn bennaf, felly mae'n hawdd i'w gerfio ac yn ddelfrydol ar gyfer cerflunio.

LLECHI

Os bydd siâl yn cael ei gynhesu a'i wasgu gan y grymoedd sy'n codi mynyddoedd, bydd mwynau newydd yn ffurfio mewn haenau, sy'n cael eu gwasgu o dan y pwysau hwnnw. Llechi yw'r canlyniad, craig sy'n hawdd i'w hollti'n dafelli tenau, er mwyn gwneud toeon, er enghraifft. Mae llechi'n enghraifft o fetamorffedd rhanbarthol – newid mewn creigiau sy'n effeithio ar ardaloedd eang iawn.

CREIGIAU METAMORFFIG

Gall y grymoedd sy'n plygu, torri neu doddi creigiau hefyd newid eu natur ffisegol. Gall pwysau mawr wneud craig yn galetach a threfnu'r crisialau sydd ynddi'n haenau amlwg, fel yn achos troi siâl yn llechi. Gall gwres achosi i rywbeth ddechrau toddi cyn ailgrisialu'n fwynau newydd. Dyna yw rhai gemau, gan gynnwys garnedau a geir mewn rhai mathau o sgist, neu wythiennau o fetel gwerthfawr. Mae prosesau metamorffig yn aml yn cychwyn pan fydd magma chwilboeth yn treiddio ac yn pobi'r graig gerllaw.

CWARTSIT

Os caiff tywodfaen ei gynhesu ddigon, glyna'r crisialau sy'n ffurfio'r tywod yn sownd yn ei gilydd gyda rhagor o gwarts. Mae hyn yn creu creigiau caled iawn a brau o'r enw cwartsit. Mae copaon llawer o fynyddoedd yn osgoi cael eu herydu am fod haen o gwartsit golau, disglair drostynt.

ECLOGIT

Bydd y mwyafrif o greigiau metamorffig yn cael eu ffurfio o greigiau gwaddod, ond mewn amgylchiadau eithriadol pan fydd llawer o wres a phwysau, gall llosgfeini caled droi'n ffurfiau newydd hyd yn oed. Yn ddwfn yn y gramen, gellir troi ithfaen yn fath o haenithfaen, tra bydd gabro, sy'n dywyllach ac yn drymach, yn troi'n eclogit. Mae modd gwasgu a phobi peridotit, y graig drom iawn sy'n ffurfio llawer o fantell y Ddaear a'i throi'n sarff-faen lliw gwyrdd.

HORNFELS

Bydd craig sy'n cael ei phobi o ganlyniad i lif o fagma poeth iawn gerllaw, megis ithfaen, yn troi'n galetach ac yn frith o grisialau'r mwynau newydd. Mae'r graig, a elwir yn hornfels, yn colli pob un o'i nodweddion blaenorol. Bydd y nodweddion hyn yn para mewn craig sy'n bellach oddi wrth ffynhonnell y gwres.

CYLCH Y CREIGIAU

Dros filiynau o flynyddoedd bydd creigiau'n cael eu newid o un ffurf i ffurf arall. Bydd mynyddoedd yn gwisgo'n ddim gan erydiad, a'r rwbel yn cael ei gario i'r môr i ffurfio creigiau gwaddod. Gall y rhain yn eu tro gael eu gwthio i fyny i godi mynyddoedd newydd oherwydd symudiad y platiau tectonig, neu gael eu cario'n ddwfn i ganol y Ddaear, lle cânt eu newid yn greigiau metamorffig, neu doddi. Bydd y graig dawdd yn gwthio i fyny i'r wyneb a ffurfio llosgfeini sydd unwaith eto'n cael eu herydu i greu dyddodion newydd.

PRIDD

Mae pridd yn hanfodol i'r rhan fwyaf o blanhigion, am eu bod yn darparu'r pethau y bydd planhigion yn eu defnyddio fel maeth. Creigiau wedi malu a'u cymysgu â hwmws – math o 'gompost' wedi'i wneud o blanhigion sy'n pydru ac olion anifeiliaid wedi'u treulio gan fân-greaduriaid – yw pob pridd. Mae sut y bydd y mân-greaduriaid hyn yn gweithio yn dibynnu ar natur y graig, yr hinsawdd a'r planhigion mewn ardal. O ganlyniad ceir sawl math gwahanol o bridd, a phob un yn fwy neu'n llai ffrwythlon.

Pridd bas wedi'i wneud yn bennaf o glai a darnau o graig

❶ PRIDD IFANC

Bydd llawer o bridd yn datblygu o graig solet sy'n cael ei gwisgo gan y tywydd. Mae'r pridd cleiog hwn yn cael ei greu o garreg glai feddal, sydd hefyd yn cael ei thorri a'i breuo gan wreiddiau planhigion yn ymwthio drwy graciau i chwilio am ddŵr. Ar hyn o bryd mae'r pridd uwchben y graig yn rhy ifanc i ffurfio haenau amlwg ond ymhen amser bydd pridd uchaf ffrwythlon yn datblygu'n agos at yr wyneb.

Deunydd tywyll o hen blanhigion yn gorwedd ar haenen olau, ddiffrwyth o dywod

❷ PRIDD ASID TYMHERUS

Bydd glaw, wrth olchi drwy dywod neu raean yn toddi maeth planhigion alcalïaidd a'u cario'n is i lawr yn y pridd. Mae hyn yn creu haenau amlwg o bridd. Mae'r haenen uchaf yn rhy asid a diffrwyth ar gyfer y rhan fwyaf o blanhigion. Bydd y rhai sy'n ffynnu yn y math hwn o bridd, fel pinwydd a grug, yn lledu i ffurfio coedwigoedd bythwyrdd, rhostiroedd a gweunydd.

Pridd uchaf ffrwythlon yn ffurfio haenen drwchus dros is-bridd mwynol

❸ PRIDD GLASWELLTIR

Ar ôl canrifoedd, bydd porfa fu'n tyfu a phydru ar beithdiroedd yn creu pridd brown, dwfn, ffrwythlon sy'n cynnwys llawer o ddeunydd organig. Nid yw'n asid nac yn alcalïaidd – perffaith ar gyfer y mân-greaduriaud fydd yn troi deunydd organig yn faeth. Mae hefyd yn ddelfrydol ar gyfer mwydod sy'n troi'r pridd a'i gymysgu'n dda. Defnyddir pridd glaswelltir ar gyfer tyfu cnydau bellach, am eu bod mor ffrwythlon.

❺ PRIDD MAWNOG

Bydd y pridd hwn yn dechrau fel pentyrrau o dyfiant gwlyb sydd ar hanner pydru mewn corsydd a ffeniau. Bwydir mawn cors gan ddŵr glaw ac mae'n asid iawn, yn bennaf am fod migwyn (sphagnum moss) yn tyfu yno, sy'n troi'r dŵr yn asid. Bydd mawn ffen yn llawn o ddŵr sydd eisoes yn y tir, ac os caiff ei sychu, bydd yn gadael pridd ffrwythlon iawn. Does ynddo fawr o fwynau, ac felly mae'n ysgafn iawn ac yn hawdd i'r gwynt ei chwythu i ffwrdd.

❹ PRIDD COEDWIG

Bydd pridd sy'n ffurfio o dan goed collddail, fel derw a masarn, yn cael dogn cyson o ddeunydd organig wrth i'r dail ddisgyn bob hydref. Mae'r dail yn cynnwys asid sy'n toddi rhywfaint o'r mwynau yn yr haenau uwch, gan eu cario i lawr i lefel is. Ond bydd y mân-greaduriaid a'r mwydod yn dal i ffynnu, ac mae'r pridd hwn yn ffrwythlon wrth natur.

❻ PRIDD FOLCANIG

Mae'r graig sy'n ffrwydro o losgfynyddoedd yn llawn o fwynau y bydd ar blanhigion eu hangen i dyfu, felly bydd pridd a ddatblygodd o lwch llosgfynyddoedd sydd wedi oeri fel arfer yn ffrwythlon iawn. Mae'r bilergraig sy'n ffrwydro o rai llosgfynyddoedd hefyd yn llawn o haearn. Fe all pridd folcanig gynnwys talpiau mawr o lafa wedi caledu, a chwythwyd o dwll y llosgfynydd, ac weithiau gwelir haenau o lwch gwelw yn dangos ffrwydradau diweddar.

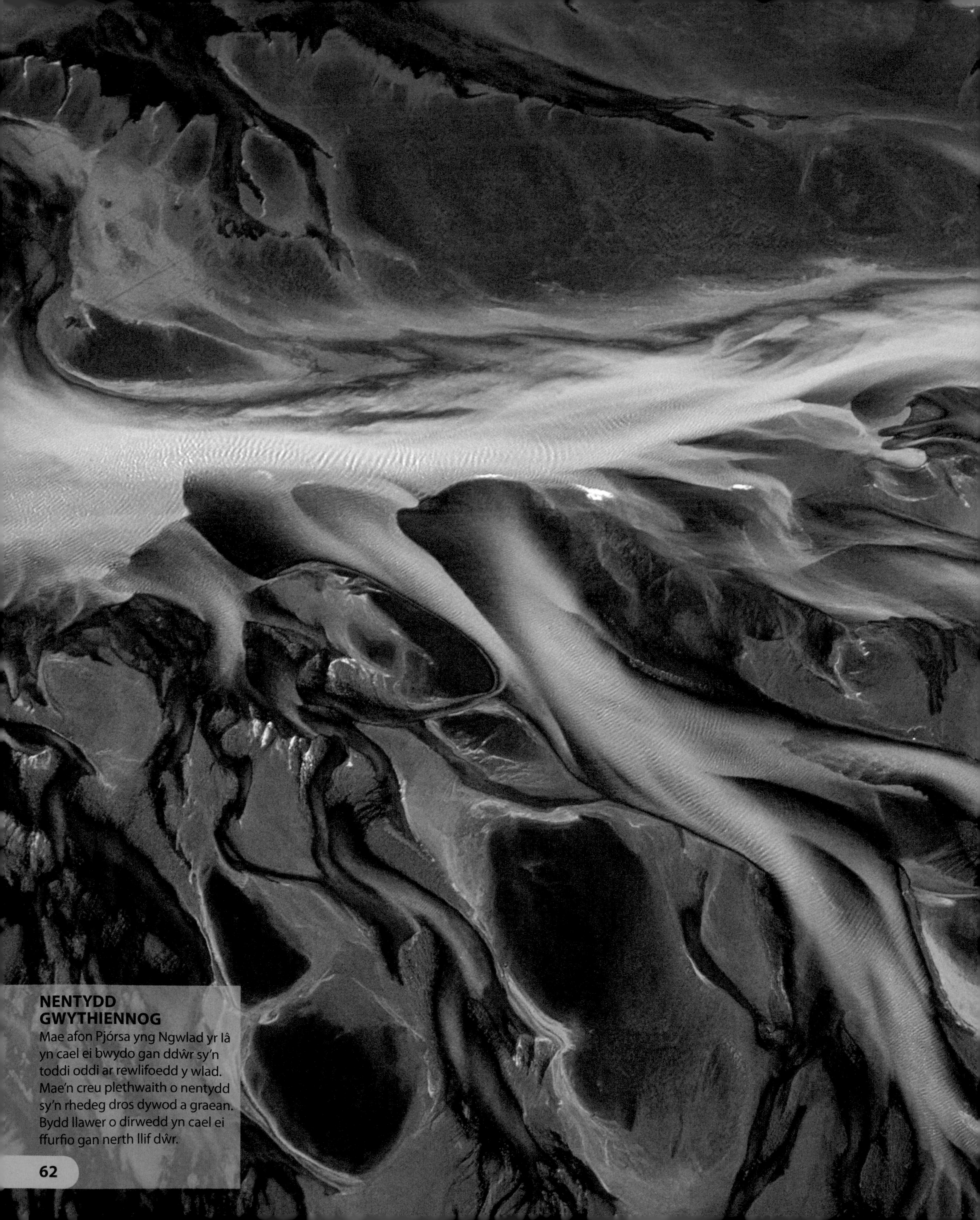

NENTYDD GWYTHIENNOG
Mae afon Pjórsa yng Ngwlad yr Iâ yn cael ei bwydo gan ddŵr sy'n toddi oddi ar rewlifoedd y wlad. Mae'n creu plethwaith o nentydd sy'n rhedeg dros dywod a graean. Bydd llawer o dirwedd yn cael ei ffurfio gan nerth llif dŵr.

Dŵr a thywydd

DŴR AC IÂ

Yr un peth am y Ddaear sy'n ei gwneud mor arbennig yw dŵr hylifol – y sylwedd sy'n hanfodol i fywyd ein planed. Mae'n debygol bod dŵr, sy'n gyfuniad syml o hydrogen ac ocsigen, yn gyffredin ledled y Bydysawd, ond dim ond fel iâ solet neu anwedd dŵr nwyol. Ceir y ddwy ffurf ymhobman yng Nghysawd yr Haul, ond mae dŵr hylifol yn brin, yn bennaf am fod y planedau eraill naill ai'n rhy boeth neu'n rhy oer. Mae'r Ddaear yn unigryw yng Nghysawd yr Haul am fod ei thymheredd yn caniatáu i'r tair ffurf fodoli, a hynny weithiau yn yr un lle ar yr un pryd.

ATOMAU A MOLECIWLAU

Casgliad o foleciwlau yw dŵr, a phob moleciwl yn cynnwys dau atom o hydrogen ac un o ocsigen. Dyna esbonio'r fformiwla gemegol H_2O. Mae'r moleciwlau o ddŵr hylifol yn cael eu clymu ynghyd yn llac gan rymoedd trydanol, gan ganiatáu iddyn nhw symud mewn perthynas â'i gilydd. Pan fydd dŵr yn rhewi bydd moleciwlau'n cloi ynghyd, a phan fydd yn dadmer, byddan nhw'n ffrwydro ar wahân.

Iâ Os yw dŵr yn rhewi, bydd y moleciwlau'n cloi ynghyd mewn 'rhwyll grisial' i ffurfio strwythur solet iâ.

Dŵr Bydd moleciwlau dŵr hylifol yn glynu ynghyd, ond gallant ddal i symud o gwmpas ei gilydd a llifo.

Anwedd dŵr Gall egni gwres dorri'r rhwymau sy'n dal moleciwlau dŵr ynghyd, gan beri iddyn nhw wahanu a chreu nwy.

Mae gan iâ batrwm geometrig cyson o foleciwlau dŵr

DŴR YN Y GOFOD

Mae dŵr yn rhuthro o gwmpas Cysawd yr Haul drwy'r amser ar ffurf comedau – 'peli eira budr' yn llawn o iâ, llwch a darnau o graig. Fe'i ceir ar blanedau eraill hefyd, ond fel anwedd dŵr neu, megis yn y crater hwn ger Pegwn gogleddol Mawrth, fel iâ. Ond fe allai dŵr hylifol fodoli o dan wyneb rhewllyd Europa, un o leuadau Iau – a lle bo dŵr, gall bywyd fyw.

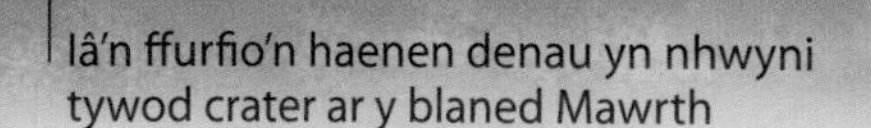

Iâ'n ffurfio'n haenen denau yn nhwyni tywod crater ar y blaned Mawrth

GWRES CUDD

Pan fydd dŵr yn anweddu, bydd y moleciwlau'n amsugno ynni. Mae hyn yn achosi iddyn nhw symud yn gynt, nes iddyn nhw ffrwydro a ffurfio anwedd dŵr. Enw'r ynni hyn yw gwres cudd. Os bydd yr anwedd yn troi'n gymylau, bydd y gwres cudd yn codi, gan gynhesu'r awyr a pheri iddi hithau godi, gan adeiladu rhagor o gymylau uwch. Dyma sy'n bwydo corwyntoedd a stormydd o fellt a tharanau ac, yn wir, holl beiriant tywydd ein planed.

DŴR AR Y DDAEAR

Dŵr hallt y môr yw'r rhan fwyaf o ddŵr ein planed. Dim ond 3% sy'n ddŵr croyw, ac mae'r rhan fwyaf o hwnnw naill ai wedi rhewi neu ymhell o dan yr wyneb. Cedwir dwy ran o dair o'r gweddill mewn llynnoedd a gwlyptiroedd dŵr croyw, a llawer llai mewn afonydd. Bydd tua 10% o ddŵr croyw nad yw wedi rhewi na'i gladdu, ar ffurf anwedd dŵr yn yr atmosffer neu gymylau.

IÂ SY'N ARNOFIO

Pan fydd dŵr yn rhewi, caiff y moleciwlau eu cloi mewn strwythur lle maen nhw'n bellach ar wahân nag y bydden nhw mewn dŵr oer. O ganlyniad, nid yw iâ mor ddwys â dŵr hylifol, felly mae'n arnofio. Dŵr yw'r unig sylwedd sy'n ymddwyn fel hyn. Mae hynny'n hanfodol i fywyd ar y Ddaear, oherwydd pe bai dŵr yn suddo wrth rewi, mae'n debygol y byddai gwaelod y cefnforoedd yn rhewi'n gorn.

DŴR A BYWYD

Mae'r grymoedd trydanol sy'n peri i foleciwlau dŵr lynu ynghyd yn achosi iddyn nhw lynu wrth atomau sylweddau eraill hefyd – pethau fel halenau, gan eu gwahanu er mwyn iddyn nhw doddi. Dyma pam y bydd dŵr yn sylwedd perffaith ar gyfer yr adweithiau cemegol sy'n sail i fywyd. Yn y bôn, amlenni o ddŵr yw celloedd byw, fel y bacteria hyn, sy'n cynnwys cemegau wedi toddi y bydd organebau yn eu defnyddio i fwydo'u gweithgareddau ac adeiladu meinweoedd.

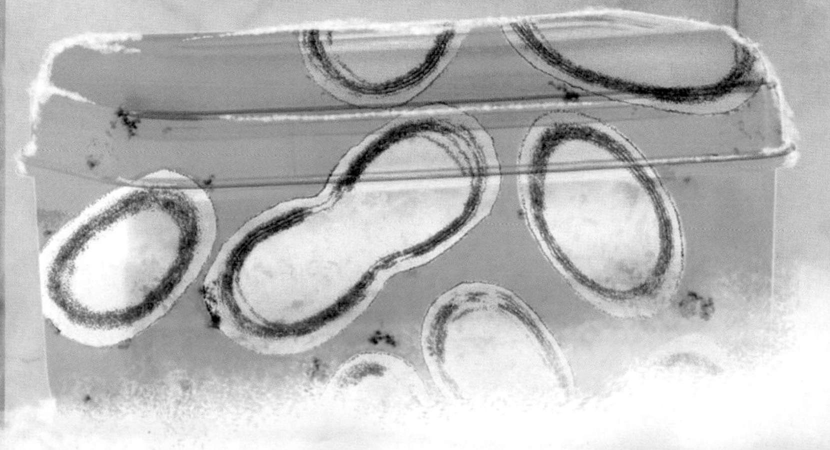

CYLCH DŴR

Mae anwedd dŵr wrth anweddu o'r cefnforoedd yn creu cymylau sy'n cael eu cario dros y tir gan wynt. Caiff mwy o gymylau eu creu gan anwedd dŵr yn codi o'r tir. Yn y pen draw, bydd glaw ac eira'n disgyn, a bydd y dŵr sy'n suddo i'r ddaear yn llifo i nentydd ac afonydd, ac yn ôl i'r môr. Mae'r broses hon yn troi dŵr hallt y môr yn ddŵr croyw, sy'n codi mwynau o'r tir a'u cario'n ôl i'r môr. Gall rhai rhannau o'r cylch hwn gymryd ychydig ddyddiau neu wythnosau, ond gall eraill gymryd cannoedd neu hyd yn oed filoedd o flynyddoedd i'w cyflawni.

❶ ANWEDD DŴR

Wrth i arwyneb y môr gael ei gynhesu gan yr Haul, bydd moleciwlau dŵr yn amsugno ynni. Mae hyn yn achosi iddyn nhw dorri'n rhydd oddi wrth y moleciwlau dŵr hylifol a chodi i'r awyr ar ffurf anwedd dŵr pur, gan adael unrhyw amhurdeb, fel halen, ar eu holau. Bydd yr un peth yn digwydd i ddŵr mewn llynnoedd, afonydd a phlanhigion. Nwy anweledig yw anwedd dŵr, ond wrth iddo godi mae'n chwyddo ac oeri, gan golli ynni a throi'n dafnau mân o ddŵr gwlyb sy'n ffurfio cymylau.

❷ GLAW AC EIRA

Bydd ceryntau o aer yn y cymylau'n achosi i ddafnau bach hylifol hel at ei gilydd i ffurfio dafnau mwy, trymach. Pan fydd y rhain yn rhy drwm i aros yn yr awyr, maen nhw'n cwympo ar ffurf glaw. Yr un broses sy'n gwneud i'r crisialau rhew bychan yn y cymylau oerach glymu ynghyd ar ffurf plu eira. Bydd glaw ac eira'n cwympo drymaf dros dir uchel, lle caiff aer llaith ei godi'n uwch wrth iddo symud, gan greu rhagor o gymylau.

❸ DŴR AR YR WYNEB

Bydd rhywfaint o'r dŵr sy'n cwympo ar ffurf glaw yn llifo oddi ar y tir yn ôl i'r môr, yn enwedig ger yr arfordir lle bydd creigiau caled, serth i'w cael. Mae'r math hwn o lifeiriant dŵr cyflym hefyd yn gyffredin mewn trefi, lle bydd concrid yn rhwystro dŵr rhag suddo i'r pridd gan ei gyfeirio i gwterydd. Gall torri gormod o goed gael yr un effaith, pan fydd y llystyfiant sy'n dal dŵr a'i rwystro rhag llifo'n syth i afonydd, yn cael ei ddifa.

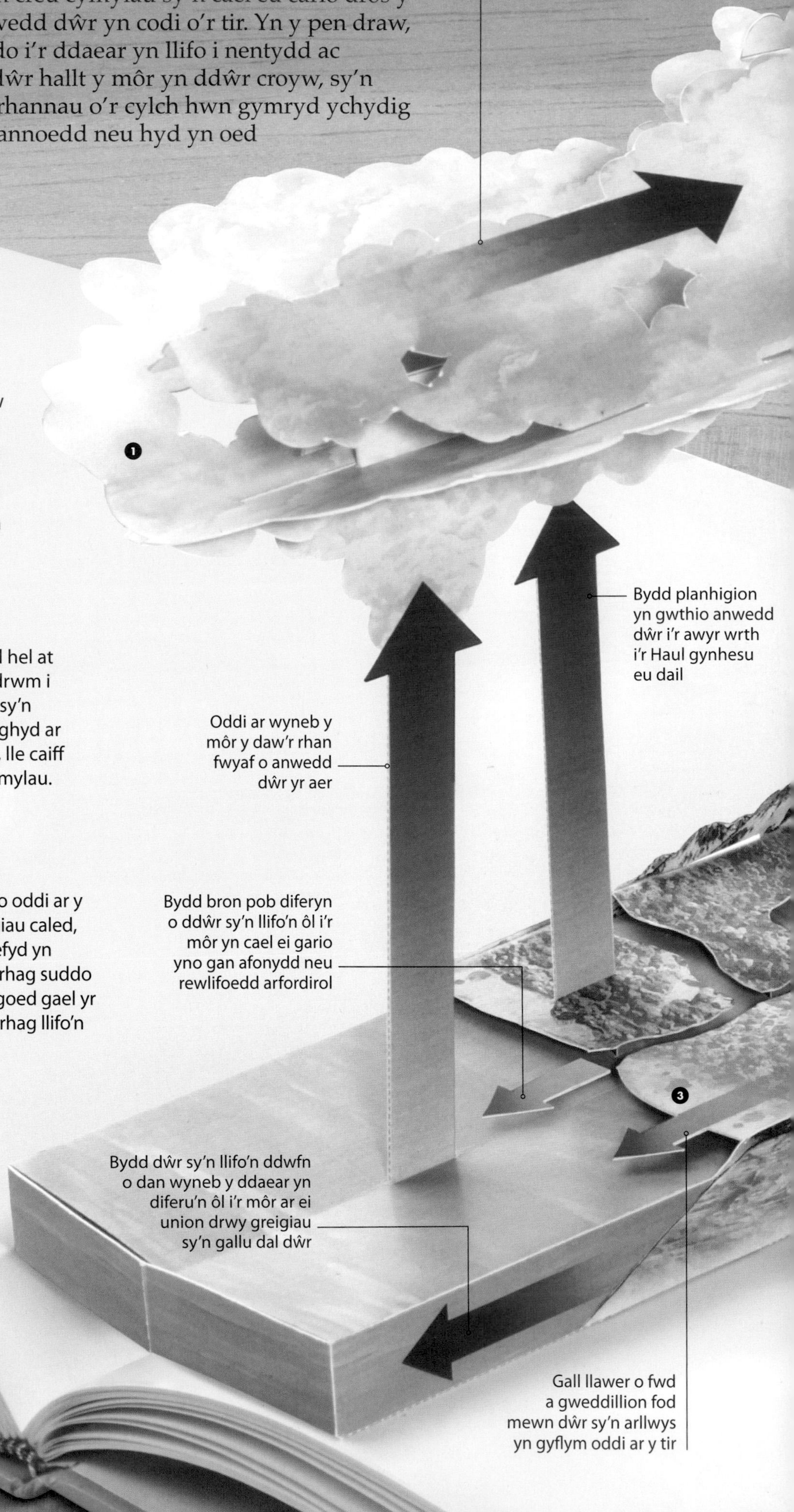

❹ DŴR TANDDAEAROL LLECHWRAIDD
Bydd pridd yn amsugno llawer o law, bydd yna'n diferu drwodd i dywod, graean a chreigiau sy'n gallu dal dŵr. Yr enw am ran uchaf y ffin soeglyd hon yw'r lefel trwythiad (water table), ac os byddwch chi'n palu i'r fan hon, bydd dŵr yn llenwi gwaelod y twll a ffurfio ffynnon. Tuedd y dŵr tanddaearol hwn yw diferu'n araf am i lawr mewn haenau llydan, drwy haenau o graig dyllog a elwir yn ddyfrhaen (aquifer). Mewn rhai mannau bydd y dŵr yn byrlymu o ffynnon cyn llifo i nentydd ac afonydd.

❺ DAN GLO GAN IÂ
Yn y Pegynau, neu ar dir uchel iawn, fe all hi fod yn rhy oer i'r Haul ddadmer yr holl eira sy'n disgyn, hyd yn oed yn yr haf. Bydd yr eira'n pentyrru dros y blynyddoedd, wrth i'w bwysau ei wasgu i lawr a ffurfio haenau trwchus o iâ. Yn yr Ynys Las ac Antarctica, clowyd dŵr gan haenau enfawr o iâ ers miloedd o flynyddoedd. Ond bydd peth o'r iâ'n llifo am i lawr mewn rhewlifoedd, gan doddi yn y pen draw ac ailymuno â'r cylch dŵr.

❻ DŴR FOLCANIG
Un rhan hirdymor o'r cylch dŵr yw honno sy'n ymwneud â dŵr o dan gramen y Ddaear. Mae'r dŵr hwn yn sownd yn y creigiau sy'n cael eu llusgo i'r parthau islithro a nodir gan ffosydd tanfor dwfn. Bydd y dŵr yn gostwng tymheredd toddi creigiau poeth nes peri i'r graig doddi a ffrwydro o losgfynyddoedd, ynghyd ag anwedd dŵr. Mae hyn yn trosglwyddo dŵr o'r cefnfor i'r atmosffer dros gyfnodau o filiynau o flynyddoedd, tra'n iro holl broses tectoneg platiau.

❼ DŴR FFOSIL
Weithiau bydd dŵr tanddaearol yn crynhoi mewn craig dyllog sy'n cael ei chloi o dan haenen o graig sy'n gwrthsefyll dŵr. Gan nad yw'n gallu dianc, mae'r dŵr yn cael ei gloi allan o'r cylch dŵr am byth, Ceir un o'r cronfeydd 'dŵr ffosil' mwyaf o dan ddwyrain y Sahara, lle amcangyfrifir bod tua 150,000 km giwbig (3,600 milltir giwbig). Mewn mannau, erydwyd y graig uchaf gan y gwynt, gan ddatgelu'r graig dyllog, ddyfriog, a chreu gwerddonau.

AFONYDD

Wrth i ddŵr lifo oddi ar y tir mae'n mynd i rwydwaith o nentydd sy'n ymuno i greu afonydd mwy a mwy. Gall afonydd siapio'r tir drwy gerfio dyffrynnoedd a drwy erydu cadwyni o fynyddoedd yn raddol iawn. Byddan nhw'n cario'r rwbel a erydwyd o'r tiroedd uchel i'r tiroedd isel gan wneud y wlad yn fwy gwastad. Maen nhw hefyd yn symud maeth llystyfiant sy'n peri i diroedd isel fod yn ffrwythlon ar y cyfan. Bydd afon yn llifo'n gyflym ac aflonydd yn ei phen blaen ar dir uchel, yn llifo'n ddigyffro yn ei chwrs canol ar dir is ac yn llifo yn ôl y llanw wrth iddi groesi'r morfa i'r aber a'r môr.

FFYNNON

Gellir dilyn llawer o afonydd yn ôl i lygad sy'n tasgu o'r ddaear ar ffurf ffynnon. Dŵr tanddaearol sy'n bwydo'r ffynnon, wrth iddo ddiferu am i lawr nes cyrraedd craig sy'n gwrthsefyll dŵr. Bydd y dŵr yn llifo dros yr haenen hon o graig. Os yw'r graig yn brigo i'r wyneb ar lethr, bydd y dŵr yn gorlifo allan drosti ar ffurf ffynnon. Mae'r dŵr fel arfer yn glir fel grisial, ond gall gynnwys llawer o fwynau wedi toddi.

NANT Y MYNYDD

Wrth iddi ddawnsio i lawr llethrau serth, bydd nant fynyddig yn llifo'n gyflym iawn dros raeadrau a dyfroedd gwyllt. Gall cerrig mawr iawn, yn ogystal â llawer o raean a thywod a erydwyd o'r mynydd symud gyda glaw trwm tymhorol neu wrth i eira doddi. Mae'r dŵr yn glir, yn oer ac yn llawn o ocsigen.

AFON IFANC

Wrth iddi lifo i lawr drwy'r bryniau, bydd afon ifanc yn gosod gwely o raean. Mae'r rhan fwyaf o'r graean wedi cael ei fownsio i lawr gyda'r llif pan oedd yr afon yn llifeirio, adeg dadmer yn y gwanwyn er enghraifft. Bydd yr afon yn dilyn sawl llwybr ar draws y graean i greu nant wythiennog gymhleth. Yn y pen draw, bydd pob sianel yn ailymuno i greu un afon lydan, fas, ag iddi ymylon o raean.

GWASTATIR

Bydd yr afon yn arafu wrth gyrraedd tir isel, ac mae hyn yn achosi iddi ollwng darnau ysgafn o dywod a mwd. Os nad yw afon yn cael ei chyfyngu'n artiffisial, bydd yn dueddol o orlifo yn ystod y tymor gwlyb gan foddi'r tir o'i hamgylch. Bydd y gorlif yn gollwng gwaddodion mân gan greu gwastatiroedd eang o laid a deunydd organig, sy'n datblygu dros y canrifoedd yn bridd ffrwythlon.

BWA

Yn aml, bydd afon yn llifo dros wastatir mewn cyfres o ddolenni neu ystumiau. Mae'r afon yn llifo'n gryfach ar ochr allanol y tro, gan ddifa'r lan. Ar du mewn y tro, mae'n llifo'n arafach, gan ollwng gwaddodion. Bydd hyn yn ychwanegu at yr ystumiau a'u gwneud yn lletach. Weithiau bydd ystum mor fawr nes peri i'r afon gymryd llwybr tarw, a chreu ystumllyn (oxbow lake).

ABER A DELTA

I'r môr y bydd y rhan fwyaf o afonydd yn llifo. Pan fydd y dŵr croyw'n cyfarfod â dŵr hallt y môr ar y morfa, bydd yr halen yn achosi i'r darnau mân o fwd yn y dŵr setlo i ffurfio traethell (mudflat) yr aber. Pan fydd y llif yn gryfach, bydd yn cario gwaddod brasach allan i'r môr i greu delta a'i sianeli lluosog ar siâp gwyntyll. Dyma ddelta Afon Lena yn Siberia.

DYFFRYNNOEDD A CHEUNENTYDD

Bydd llif cyflym afonydd yr ucheldir yn cario creigiau, cerrig a thywod sy'n erydu llwybr yr afon yn ddyffrynnoedd siâp V. Mae'r rhain yn uno i ffurfio patrwm o isafonydd mewn basn draenio neu ddalgylch afon. Bydd dyffrynnoedd fel arfer yn lledu wrth i'r afon dyfu, ond gall afonydd sy'n llifo dros galchfaen ddiflannu i ogofeydd a sianelau tanddaearol. Mae'n bosib i'r rheiny ddymchwel a chreu ceunentydd calchfaen. Gall symudiadau'r ddaear hefyd godi'r tir wrth i'r afon ddal ati i dorri am i lawr, gan gerfio ceunentydd dyfnach fyth.

❶ PATRWM CANGHENNOG

Mae'r llun lloeren hwn o orllewin yr Himalaia o dan eira'n dangos sut y bydd cymoedd afonydd bach yn ymuno i greu afonydd mwy sy'n llifo i'r tir is. Yn y pen draw, bydd y rhain hefyd yn ymuno gan ffurfio afonydd enfawr fel Indus a Ganges. Mae'r patrwm yn debyg i foncyff, canghennau a brigau coeden.

❷ DYFFRYN MYNYDDIG

Mae llifeiriant o ddŵr llawn rwbel sy'n arllwys oddi ar fynydd ar ôl glaw trwm neu gyfnod o ddadmer yn gallu naddu dyffrynnoedd dwfn, serth yn ochrau'r mynyddoedd. Mae'r dŵr yn llifo'n rhy gyflym i ollwng gwaddod mân felly caiff y cwm ei naddu hyd at y graig mewn siâp V cul. Bydd ei llwybr yn igam-ogamu rhwng cribau o graig galetach. Ceir sawl enghraifft o ddyffryn siâp V yng Nghymru, megis Dyffryn Afan yn y de a blaenau Hafren yn y canolbarth.

❸ DYFFRYN AEDDFED

Wrth i afon lifo o'r mynyddoedd a'r bryniau ar draws tir mwy gwastad, bydd y llif yn arafu. Mae hyn yn achosi iddi ollwng llawer o'r rwbel creigiog sydd wedi'i gario ganddi o'r ucheldir, gan lenwi gwaelod y dyffryn. Felly yn lle cael ei chyfyngu gan ddyffryn dwfn siâp V, bydd afon aeddfed yn llifo dros wastatir eang, lle gollyngwyd haenau dwfn o ddyddodion. Fe all newid ei llwybr yn aml, ac mae hi'n bosib gweld olion hen sianelau'r afon yn y dyffryn.

❹ RHAEADR

Bydd nentydd mynyddig yn cwympo dros ddibyn yn aml i greu rhaeadr, ond maen nhw'n llai cyffredin ar afon aeddfed. Mewn mannau, serch hynny, bydd hollt mewn haenen o graig galed, sy'n gorwedd uwchben craig feddalach, yn peri i afon fawr blymio i geunant a erydwyd yn y graig feddal islaw. Yn Sambia, yn neheudir Affrica, mae afon fawr Zambezi yn plymio 108 m (355 troedfedd) dros Raeadr Victoria. Enw'r bobl leol ar y lle yw Mosi-oa-Tuya, neu 'y mwg sy'n taranu'.

❺ CEUNANT A GODODD

Mae'r grymoedd enfawr sy'n codi mynyddoedd yn gallu dyrchafu gwelyau afonydd hefyd, gan eu gorfodi i erydu dyffrynnoedd dyfnach fyth. Yn Arizona, UDA, mae'r tir wedi'i godi'n uchel gan achosi i afon Colorado naddu i lawr drwy fwy na 1.8 km (1 milltir) o graig gan greu ceunant sy'n 350 km (220 milltir) o hyd a hyd at 29 km (18 milltir) o led – Yr Hafn Fawr (The Grand Canyon). Wrth wneud hyn, datgelodd haenau o graig sy'n dyddio'n ôl bron 2 biliwn o flynyddoedd.

❻ CEUNANT CALCHFAEN

Prif gynhwysyn calchfaen yw calsit, mwyn sy'n cael ei doddi gan ddŵr glaw. Bydd dŵr yn gallu diferu i lawr drwy holltau a chraciau yn y graig gan lifo drwy ogofeydd tanddaearol. Weithiau bydd yr ogofeydd yn tyfu mor fawr nes peri i'r to ddisgyn, gan adael i'r afon lifo drwy geunant dwfn, mawreddog, fel hwn ym Mhrofens, de Ffrainc.

RHEWLIFOEDD A MYNYDDOEDD IÂ

Yn y Pegynau ac ar fynyddoedd uchel, bydd y tymheredd isel yn rhwystro eira rhag dadmer. Wrth i ragor o eira gwympo ar ei ben, mae'n creu haenau dyfnion sy'n cael eu gwasgu, dros y canrifoedd, yn iâ solet. Bydd yr iâ hwn yn tueddu i gropian am i lawr ar ffurf rhewlif, a phan fydd yn cyrraedd y môr bydd yn torri'n rhydd a chreu mynydd iâ sy'n arnofio. Yn rhannau oeraf y byd, mae'r broses yn creu haenau o iâ eithriadol o drwchus. Mae haenen iâ Dwyrain yr Antarctig wedi ffurfio cromen enfawr hyd at 4.5 km (2.8 milltir) o drwch, sydd mor drwm nes peri iddi wthio'r cyfandir dros gilomedr (0.6 milltir) i mewn i gramen y Ddaear.

❶ RHEWLIF PEIRAN

Fry yn y mynyddoedd, bydd eira'n crynhoi mewn pantiau creigiog cyn cael ei wasgu'n iâ. Yn y pen draw bydd yr iâ'n gorlifo'r bowlen greigiog a theithio am i lawr ar ffurf rhewlif. Yn y cyfamser, mae'r iâ, wrth iddo symud, yn rhewi'n sownd wrth ochr y mynydd gan rwygo'r graig a ffurfio llethrau serth iawn sy'n dyfnhau'r pant. Bydd hyn yn ffurfio peiran siâp powlen, sy'n aml yn achosi rhewlif mewn cwm.

❷ RHEWLIF DYFFRYN

Bydd iâ'n llifo ar hyd dyffryn yn araf iawn – yn rhy araf i ni ei weld yn symud. Wrth fynd, mae'n plygu er mwyn llifo rownd corneli, ac fe all lifo i fyny dros dalp caled iawn o graig. Ond fel arfer, bydd yr iâ'n malu'r graig yn ddim. O ganlyniad gellir gweld llinellau tywyll o graig wedi torri ar wyneb y rhewlif weithiau, fel y patrymau hyn ar Rewlif Kennicott, ym Mynyddoedd Wrangell yn Alasga.

❸ SWCH Y RHEWLIF

Fel arfer, bydd rhewlifoedd mynyddig yn dod i ben ar lethrau isaf y mynyddoedd, pan fydd tymheredd uwch yn toddi'r iâ yr un mor gyflym ag y mae'n symud am i lawr. Dyma swch y rhewlif, sy'n aros yn yr un lle oni bai bod yr hinsawdd yn newid. Bydd dŵr sy'n dadmer yn arllwys o dwnelau ac ogofeydd yn y rhew gan lifo i ffwrdd ar ffurf nentydd ac afonydd.

❹ MARIAN

Mae rhewlif yn cludo llawer o graig am i lawr. Bydd llawer ohono'n sownd yn yr iâ, ond ceir rhagor mewn pentyrrau hir ar yr wyneb, a elwir yn fariannau. Mae'n gweithio ychydig fel cludfelt, yn gollwng yr holl rwbel ger y swch mewn marian terfynol – pentwr o ddarnau onglog o graig yn gymysg â 'blawd y graig', a ffurfiwyd wrth i'r iâ falu'r graig. Caiff llawer o'r deunydd creigiog mân ei olchi i ffwrdd gan ddŵr yn llifo o'r rhewlif.

❺ RHEWLIF LLANW

Yn y Pegynau, yn ne-ddwyrain Alasga ac yn ne Seland Newydd, bydd rhewlifoedd yn llifo bob cam i'r arfordir ac allan i'r môr. Yma mae swch Rhewlif Hubbard yn arnofio wrth iddo lifo i Geufor Alasga. Bydd talpiau mawr o iâ'n torri'n rhydd o'r rhewlifoedd hyn ac arnofio i ffwrdd ar ffurf mynyddoedd iâ, tra bo llawer o'r rwbel a lifodd gyda'r iâ yn cael ei ollwng ar waelod y môr.

❻ MYNYDD IÂ

Bydd dros 90% o grynswth mynyddoedd iâ sy'n torri'n rhydd oddi wrth rewlifoedd llanw yn arnofio o dan wyneb y môr, yn dibynnu pa mor drwm yw'r creigiau sydd ynddyn nhw. Bydd rhai'n nofio'n bell iawn gyda'r llif cyn dadmer. Gall y mynyddoedd iâ hynny sy'n nofio i ffwrdd o'r Ynys Las tua'r de i gyfeiriad gogledd Môr Iwerydd fod yn beryglus iawn i longau – yn gofiadwy iawn, mynydd iâ oedd yn gyfrifol am suddo'r *Titanic* yn 1912.

❼ CYNYDDU A CHILIO

Mae newid yn yr hinsawdd yn achosi i rewlifoedd ymddwyn yn rhyfedd. Mae rhai'n cilio wrth i dymheredd uwch achosi iddyn nhw ddadmer yn ôl i fannau uwch, gan adael dyffrynnoedd a ffiordydd gwag ar eu hôl. Ond gall dadmer beri i rewlif lifo'n gynt hefyd, gan gynyddu, am fod mwy o ddŵr tawdd o dan yr iâ yn atal y rhew rhag glynu wrth y graig. Mae hyn yn cynyddu'r nifer o fynyddoedd rhew sy'n cwympo i'r môr gan godi lefel y cefnforoedd.

OESAU IÂ

Mae'r Ddaear wedi profi sawl cyfnod pan oerodd yr hinsawdd. Digwyddodd hyn yn bennaf oherwydd newidiadau yn ei rod o gwmpas yr Haul. Mae pob cyfnod, a elwir yn Oes Iâ, wedi cael adegau oer a chynnes. Ar hyn o bryd rydym yn byw mewn adeg gynnes o oes iâ. Yn ystod yr adeg oer ddiwethaf, a ddaeth i ben tua 12,000 mlynedd yn ôl, roedd rhewlifoedd ac iâ parhaol yn ymestyn dros ran helaethaf gogledd Ewrop, Asia a Gogledd America, gan ail-lunio'r tir. Ni fu cymaint o newid yn Hemisffer y De am nad oes llawer o dir yn y lledredau (latitudes) oerach – heblaw am yr Antarctig, sydd wedi rhewi o hyd.

❶ DYFFRYN RHEWLIFOL

Cafodd llawer o'r dyffrynnoedd siâp U a welir mewn ardaloedd mynyddig yng ngogledd y blaned eu cerfio gan rewlifoedd Oes Iâ. Bu'r iâ'n malu'r graig i greu ochrau serth y dyffrynnoedd, ac yn tyrchu pantiau ar lawr y dyffryn lle mae llynnoedd erbyn hyn. Naddwyd copaon sawl mynydd yn ddim mwy na chrib cul wrth i'r iâ rwygo'u llethrau i greu peirannau crwn. Mae llawer o dirwedd Eryri wedi'i ffurfio fel hyn.

❷ FFIORD

Yn ystod yr Oes Iâ ddiwethaf, roedd cymaint o ddŵr dan glo ar ffurf rhew cyfandirol nes peri i lefel y môr ddisgyn dros 100m (330 troedfedd). Naddodd rhewlifoedd ddyffrynnoedd dyfnion wrth iddynt lifo tua'r arfordir. Pan doddodd yr iâ, llanwodd y moroedd eto, gan gyrraedd eu dyfnder presennol tua 6,000 mlynedd yn ôl. Boddwyd ardaloedd glan-môr gan greu'r ffiordau serth a geir mewn ardaloedd fel Sgandinafia a de Seland Newydd.

❸ SGATHRU'R GRAIG GAN REW

Wrth i haenau o iâ symud a rhygnu ar draws ardaloedd gogleddol fel Canada a Sgandinafia, crafwyd y pridd a'r graig feddal i ffwrdd i ddatgelu'r graig galed, hynafol islaw. Gellir gweld tystiolaeth amlwg o hyn ar ambell graig, le crafwyd pantiau hir yn eu hwynebau gan gerrig yn sownd yn yr iâ. Mae'r tiroedd hyn yn frith gan gannoedd o lynnoedd, sy'n llenwi pantiau a grafwyd gan iâ.

❹ RWBEL RHEWLIFOL

Wrth i'r iâ ddadmer a chilio, gadawodd bentyrrau o rwbel, a elwir yn farianau, ac ardaloedd eang o glai meddal yn gymysg â darnau o graig, a elwir yn rewglai (till). Gollyngodd greigiau mawr yma ac acw hefyd, y bydd daearegwyr yn eu galw'n feini dyfod (glacial erratics). Mae'r enghreifftiau mwyaf trawiadol yn hollol wahanol i'r graig o gwmpas, oherwydd bod y rhew wedi'u cludo yno o ardal lle mae'r ddaeareg yn wahanol.

❺ TWNDRA HYNAFOL

Yn y twndra sy'n amgylchynu haenau iâ, bydd dŵr tanddaearol yn rhewi'n gorn i ffurfio iâ parhaol. Yn ystod yr oesau iâ, roedd yr iâ parhaol hwn i'w ganfod dros ardaloedd eang oedd ddim wedi'u claddu o dan y rhew. Gadawodd y pridd rhewllyd batrymau rhyfedd yn y ddaear. Lle toddodd talpiau mawr o iâ tanddaearol, mae'r ddaear wedi suddo i ffurfio 'pyllau tegell' sydd bellach yn llawn o ddŵr.

❻ ADLAM RHEWLIFOL

Cymaint oedd pwysau llenni iâ'r Oes Iâ, nes plygu cramen y Ddaear am i lawr. Yn ystod y 12,000 mlynedd ers iddyn nhw doddi, bu'r gramen yn codi'n araf ar gyflymder o hyd at 1cm (0.4 modfedd) bob blwyddyn. O ganlyniad i'r 'adlam rhewlifo' hwn, codwyd llawer o gyn-draethau ymhell uwch cyrraedd y tonnau. Mae rhai porthladdoedd Llychlynnaidd yn Sgandinafia sy'n dyddio'n ôl tua mil o flynyddoedd bellach tua 10 m (33 troedfedd) uwch lefel y môr.

LLYNNOEDD

Pwll o ddŵr llonydd sy'n ffurfio ar dir yw llyn. Gall y dŵr gasglu mewn pant a adawyd gan rewlif wrth iddo doddi, mewn plyg neu hollt a grëwyd wrth i'r ddaear symud neu hyd yn oed mewn crater llosgfynydd. Dŵr croyw sydd yn y rhan fwyaf o lynnoedd. Bydd yn llifo i mewn i'r llyn yn un pen ac allan y pen arall. Mewn mannau poeth mae'n bosib i'r dŵr anweddu oddi ar yr wyneb yn hytrach na llifo allan, ac mae hyn yn achosi i fwynau tawdd droi'r llyn yn hallt iawn. Bydd llynnoedd yn llenwi'n araf gyda dyddodion, sy'n cael eu cario i mewn iddynt gan afonydd cyn gorffwys ar waelod y llyn. Ymhen amser, gall hyn droi llyn yn gors, ac yn y pen draw, gall beri iddo ddiflannu'n llwyr.

❶ LLYN YR UCHELDIR
Bydd llynnoedd ar dir uchel, lle mae'r graig yn galed, yn llawn o ddŵr oer, pur heb lawer o'r mwynau maethlon sydd eu hangen i gynnal bywyd yn y dŵr. O ganlyniad, prin yw'r creaduriaid sy'n arnofio – plancton – ac mae'r dŵr yn glir iawn. Yn Llyn Tahoe, a ffurfiodd mewn hollt yn y mynyddoedd yng ngorllewin UDA, mae yno cyn lleied o blancton nes bod y dŵr glas tywyll mor glir â grisial.

❷ LLYN YR ISELDIR
Fel arfer, bydd y dŵr sy'n llifo i lynnoedd yr iseldir yn llawn o faeth llystyfiant a doddodd i'r dŵr o'r pridd a'r creigiau meddal o amgylch. Bydd y maeth yn cynnal llawer iawn o blancton, gan wneud y dŵr yn eithaf pŵl. Mae llyn fel hyn yn llawn o fywyd gwyllt, gan gynnwys planhigion dŵr, ond byddan nhw'n tyfu mor gyflym nes tagu'r llyn â thyfiant a'i droi'n gors yn y man.

❸ LLYN HALEN

Mae rhyw gymaint o halen ymhob dŵr 'croyw', wedi toddi yno o greigiau a phridd. Wrth i ddŵr anweddu o lyn bydd yn gadael yr halenau, ac mewn diffeithwch poeth gall hyn greu llyn halen. Mae dŵr y Llyn Halen Mawr yn Utah, UDA, bum gwaith yn fwy hallt na'r môr ac, fel y gwelir yn y llun, mae'r ymylon yn pefrio'n wyn gan grisialau halen.

❹ LLYN SODA

Mae llynnoedd halen arferol yn cynnwys llawer o sodiwm clorid, neu halen bwrdd. Ond bydd rhai llynnoedd eraill yn cynnwys halenau gwahanol. Ceir cymysgedd cryf o sodiwm carbonad, neu soda, yn llawer o lynnoedd Dyffryn Hollt Affrica, megis Llyn Nakuru. Er hyn, bydd y llyn yn dal i gynnal poblogaeth enfawr o fywyd gwyllt arbenigol, gan gynnwys algâu bychan iawn a chopepodau, sy'n debyg i ferdys, ac sy'n cael eu bwyta gan heidiau anferth o fflamingos.

❺ LLYN RHEWLIFOL

Ffurfiwyd y rhan fwyaf o lynnoedd y byd gan rewlifoedd Oesau Iâ. Cerfiodd yr iâ bantiau yn y graig wrth iddo symud, neu ollwng marianau trwchus o rwbel creigiog mewn dyffrynnoedd, sy'n gweithredu fel argaeau naturiol erbyn hyn, gan atal dŵr y llyn rhag llifo oddi yno. Mae llynnoedd fel hyn yn dal i gael eu creu gan rewlifoedd byw heddiw, fel hwn yn neheudir Norwy. Mae dŵr sy'n dadmer o'r rhewlif yn y cefndir, yn llawn o waddod mwynol, a dyna sy'n rhoi'r lliw gwyrddlas i'r llyn.

❻ LLYN CRATER

Yn aml, bydd llynnoedd sydd ar siâp cylch perffaith bron yn ffurfio yng nghraterau llosgfynyddoedd cwsg neu farw. Dŵr glaw fydd yn eu llenwi, ond os oes unrhyw weithgaredd folcanig yn digwydd, gall y dŵr droi'n asid o ganlyniad i nwyon fel sylffwr deuocsid a charbon deuocsid yn dianc i'r dŵr. Mae dŵr y llyn crater hwn yn nwyrain Siberia'n anarferol o asid, sy'n peri iddo allu toddi mwynau. Dyna pam ei fod yn lliw glas llaethog.

⮉ LLYNCDWLL

Bydd llawer o'r dŵr sy'n ffurfio ogofeydd yn diferu i graciau cul yn y graig cyn diflannu o dan y ddaear i bob golwg. Ond mewn rhai mannau, bydd llif cyson o ddŵr yn achosi i grac dyfu'n siafft fertigol, gan ffurfio rhaeadr sy'n plymio i dwll du. Gall y llyncdyllau hyn fod yn gannoedd o fedrau o ddyfnder. Weithiau bydd ogof ac ynddo afonydd a llynnoedd tanddaearol ar waelod y llyncdwll.

⮉ CEUDWLL

Mewn rhai ardaloedd o galchfaen gelwir y llwybrau cul sy'n cysylltu ogofeydd mwy yn geudyllau. Bydd modd gweld bod waliau'r llwybrau wedi'u sgwrio a'u sgleinio gan lifeiriant dŵr sy'n llifo drwyddynt ar ôl glaw trwm, ac mae rhai'n llawn o ddŵr drwy'r amser. Fydd hyn ddim yn rhwystr i ogofawyr penderfynol, sy'n defnyddio offer plymio wedi'i addasu'n arbennig ar gyfer mynd drwy lwybrau'n llawn dŵr i chwilio am ragor o ogofeydd. Fel hyn y daeth pobl o hyd i ryfeddodau Dan yr Ogof yng Nghwm Tawe, de Cymru.

⮉ OGOF GRON

Wrth i ogofeydd dyfu'n fwy, mae'n bosib i'r nenfwd syrthio ynddyn nhw, am nad oes dim i'w cynnal. Gall hyn achosi i ogof sy'n agos at yr wyneb droi'n geudwll creigiog di-do. Ond yn ddyfnach o dan y ddaear, bydd y graig yn disgyn gan adael bwa naturiol ogof gron neu geudwll (cavern). Mae rhai o'r ogofeydd hyn yn enfawr – mae siambr Sarawak, yn ogofeydd Gunung Mulu yn Borneo, yn mesur o leiaf 700m (2,300 troedfedd) o hyd, dros 300m (1,000 troedfedd) o led a 100m (330 troedfedd) o uchder.

OGOFEYDD AC AFONYDD TANDDAEAROL

Gall pŵer y môr gerfio ogofeydd ymhob math o graig ar yr arfordir, ond bydd ogofeydd o dan y ddaear bron bob amser yn datblygu o ganlyniad i ddŵr tanddaearol yn diferu drwy galchfaen. Mae'r garreg galch alcalïaidd yn toddi'n araf oherwydd yr asid sydd i'w ganfod yn naturiol mewn glaw a phridd. Wrth i'r graig doddi, mae craciau a holltau'n tyfu'n fwy, gan droi'n llyncdyllau a llwybrau troellog sy'n arwain at nentydd ac afonydd tanddaearol. Gall rhai o'r ogofeydd hyn ymestyn am bellteroedd mawr iawn o dan y ddaear, gan lyncu holl ddŵr yr ardal a gadael wyneb y ddaear heb yr un nant nac afon, dim ond tir creigiog, hanner-diffaith yn aml.

⊙ FFYNHONNAU ABERTH MECSICO

Rîff cwrel hynafol iawn a godwyd gan symudiadau'r ddaear yw penrhyn Yucatan ym Mecsico. Am fod cwrel yn fath o galchfaen, bydd yn cael ei effeithio gan ddŵr glaw yn yr un modd ag unrhyw garreg galch. Golchodd glaw trofannol drwy'r graig i ffurfio rhwydwaith gymhleth o ogofeydd sy'n llyncu pob diferyn o ddŵr o wyneb y tir, ond gellir mynd ato drwy lyncdyllau ac ogofeydd a elwir yn cenotes, gair brodorol sy'n golygu ffynnon. Yn llawer o'r ogofeydd crwn hyn ceir llynnoedd tanddaearol hardd ond iasol, oedd yn ffynhonnell o ddŵr dwyfol ac yn safle aberthu i ddiwylliant hynafol y Maya.

⊙ STALACTIDAU A STALACMIDAU

Wrth i ddŵr sydd ychydig yn asid ddiferu drwy galchfaen, mae'n toddi'r graig a throi'n galsid tawdd gwan. Os bydd hwn yn diferu i mewn i ogof a chyffwrdd ag aer, bydd yn achosi i'w natur gemegol newid gan droi'r calsid yn grisial. Dros y blynyddoedd, bydd y crisialau'n tyfu'n stalactidau sy'n hongian neu'n stalacmidau, sy'n tyfu o lawr yr ogof. Gall yr un broses greu nodweddion eraill, fel y llenni calsid a elwir yn gerrig dylif.

⊙ AFONYDD TANDDAEAROL

Tuedd dŵr sy'n arllwys i rwydwaith ogof galchfaen yw dal ati i lifo am i lawr drwy holltau yn y graig. Fe all droi cefn ar un gadwyn o ogofeydd er mwyn llifo drwy gadwyn arall, is, gan adael yr hen ogofeydd yn hollol sych. Ond weithiau daw at haenen anhydraidd o graig – craig sy'n gwrthod i'r dŵr fynd drwyddi – ac ni all suddo'n is. Yma, bydd yn ffurfio afon danddaearol lydan sy'n llifo drwy ogof nes iddi ymddangos o ochr mynydd fel ffynnon enfawr – afon fawr yn llifo'n syth o'r ddaear. Mae enghraifft ardderchog o hyn yn Llygad Llwchwr, ger Rhydaman yn ne Cymru.

CEFNFOROEDD A MOROEDD

Mae cefnforoedd a moroedd bas yn gorchuddio dros ddwy ran o dair o'n planed, ar ddyfnder o 3.8 km (2.4 milltir) ar gyfartaledd. Mae'r Môr Tawel yn gorchuddio bron i hanner y byd ar ei phen ei hun! Yn y cefnforoedd ceir tua 1,330 miliwn km ciwbig (320 miliwn milltir giwbig) o heli, sy'n 97% o holl ddŵr y Ddaear. Mae'r dŵr hwn yn ffurfio byd tywyll, oer yn ddwfn o dan yr wyneb lle bydd bywyd yn brin, ond yn nyfroedd bas, heulog y moroedd ger y glannau, ceir rhai o ardaloedd cyfoethocaf byd natur.

❶ GWREIDDIAU FOLCANIG

Mae'n debygol mai ffrwydro o losgfynyddoedd enfawr ar ffurf anwedd dŵr tua 4 biliwn o flynyddoedd yn ôl wnaeth y rhan fwyaf o ddŵr y cefnforoedd. Ffurfiodd yr anwedd ran o'r atmosffer cynnar, ond wrth i arwyneb y blaned oeri. Cyddwysodd yn law a arllwysodd i lawr dros filiynau o flynyddoedd i lenwi'r moroedd. Efallai bod rhyw gymaint o ddŵr wedi cyrraedd o'r gofod ar ffurf comedau rhewllyd, a ffrwydrodd i'r Ddaear ac anweddu'n syth.

❷ HELI

Yn araf bach y trodd dŵr y môr yn hallt, wrth i'r cyfandiroedd gael eu hadeiladu pan ffrwydrodd ynysoedd folcanig o waelod y cefnfor. Cyn gynted ag y byddai'r ynysoedd yn ymddangos, byddai glaw trwm yn eu herydu, gan gario halen mwynol i'r môr. Sodiwm clorid, neu halen bwrdd, yw'r prif halen. Gellir ei wahanu o ddŵr y môr drwy ei anweddu mewn pantiau heli arfordirol fel y rhai yn y llun.

❸ GWYLL GLAS

Ceir pob lliw yn yr enfys mewn golau haul ond wrth iddo dywynnu drwy ddŵr dwfn, caiff lliwiau eu hidlo ohono yn eu tro, gan ddechrau gyda choch a melyn. Cyn bo hir, dim ond golau glas sydd ar ôl. Islaw 200m (660 troedfedd) dim ond gwyll glas pŵl sydd, ac erbyn i ni gyrraedd 1,000 m (3.300 troedfedd) mae hi'n dywyll. O gofio bod y cefnforoedd yn 3,800 m (12,460 troedfedd) o ddyfnder ar gyfartaledd, mae'r rhan fwyaf o'r heli ynddyn nhw'n hollol ddudew.

❹ SINC GWRES

Gall dŵr amsugno llawer o ynni gwres heb gynhesu fawr ddim ei hun. Dyna pam y bydd y môr yn oerach na'r tir yn yr haf. Bydd yn oeri yr un mor araf ag y bydd wedi cynhesu felly bydd y môr sy'n torri ar draeth dan eira yn y gaeaf yn gynhesach na'r tir. Mae'r effaith hwn yn sicrhau bod ardaloedd glan y môr yn cael tywydd mwyn – llai o wres mawr yn yr haf a rhew yn y gaeaf.

❺ HAENAU'R CEFNFOR

Bydd dyfnderoedd y môr yn oer bob amser, hyd yn oed yn y trofannau. Y rheswm am hyn yw bod y dŵr a gynhesir gan yr haul ar yr wyneb yn chwyddo a mynd yn llai dwys, gan arnofio ar ben y dŵr oerach, fel olew ar ben pwllyn. Mae'r haenau hyn yn gyson yn y cefnforoedd trofannol agored ond mewn ardaloedd oerach, bydd tuedd i'r haenau gymysgu yn y gaeaf.

Dim ond golau glas sy'n treiddio'n ddwfn o dan wyneb y môr

Mae faint o halen sydd yn y moroedd wedi sefydlogi bellach

❷

Bydd llosgfynyddoedd fel y rhain ar ynys Java'n dal i ffrwydro llawer o anwedd dŵr

❶

❻ DIFFEITHWCH CRISIAL

Mae'r haenen barhaol o ddŵr cynnes ar wyneb cefnforoedd trofannol yn glir fel grisial fel arfer. Y rheswm dros hyn yw bod yr haenu'n rhwystro maeth rhag dod i'r wyneb a bwydo plancton, sy'n achosi i ddŵr gymylu. Gan mai plancton yw sylfaen cadwyn fwyd y moroedd, prin yw'r bwyd i gynnal bywyd môr yma. Felly dydy'r moroedd clir, glas hyn yn fawr mwy na diffeithwch morol.

TONNAU, Y CERRYNT A'R LLANW

Bydd gwyntoedd y cefnfor yn codi tonnau ac yn gyrru ceryntau ar wyneb y cefnforoedd, sy'n chwyrlïo ar draws y môr mewn cylchdroeon enfawr. Mae cyswllt rhwng y cerrynt ar yr wyneb â'r cerrynt yn y dyfnderoedd, sy'n cael ei yrru gan ddŵr oer, hallt yn suddo i waelod y môr, yn enwedig yng ngogledd Môr Iwerydd ac o gwmpas yr Antarctig. Rhyngddynt oll, bydd pob cerrynt yn cario holl ddŵr y cefnforoedd o gwmpas y byd, gan ailddosbarthu gwres a maeth tawdd sy'n cynnal bywyd yn y moroedd. Yn y cyfamser, bydd disgyrchiant y Lleuad yn achosi i'r llanw godi a disgyn bob dydd, gan symud llawer iawn o ddŵr mewn ffrydiau llanw sy'n llifo'n llawer cynt na cheryntau'n cefnforoedd.

❶ CERRYNT AR YR WYNEB

Bydd gwyntoedd y cefnfor yn tueddu i chwythu tua'r gorllewin yn y trofannau a thua'r dwyrain ymhellach i'r gogledd a'r de. Byddan nhw'n llusgo dŵr arwyneb y moroedd i'r un cyfeiriad, gan greu cylchdroeon sy'n mynd i gyfeiriad y cloc yn hemisffer y gogledd ac yn erbyn cyfeiriad y cloc yn hemisffer y de. Wrth iddyn nhw chwyrlïo, bydd y ceryntau'n cario dŵr cynnes i gyfeiriad y pegynau a dŵr oer i'r trofannau.

❷ ARDALOEDD LLONYDD

Bydd gwyntoedd a cheryntau arwyneb y moroedd yn troelli o gwmpas ardaloedd lle mae'r môr yn dawel a'r gwynt yn ysgafn. Ceir ardal dawel ynghanol Môr Iwerydd o'r enw Môr Sargaso. Mae'n enwog am y gwymon sy'n arnofio yno, wedi'u crynhoi yn yr ardal gan y cerrynt wrth iddo gylchdroi. Canlyniad arall i'r cerrynt yw ei fod yn pentyrru'r dŵr rhyw ychydig, felly mae canol y Môr Sargaso tua metr (39 modfedd) yn uwch na lefel y cefnfor o'i amgylch.

❸ LLIF Y GWLFF

Un o geryntau cyflymaf y cefnforoedd yw Llif y Gwlff, sy'n cario dŵr cynnes, trofannol Gwlff Mecsico ar draws Môr Iwerydd i gyfeiriad Ewrop. Dyma sy'n gyfrifol am gadw Ewrop yn gymharol gynnes, ac mae hinsawdd arfordir gorllewinol yr Alban yn ddigon cynnes i dyfu palmwydd. Ond ar y llaw arall, mae Llif Humboldt yn cludo dŵr oer yr Antarctig ar hyd arfordir gorllewinol De America, gan olygu y gall y pengwin fyw ar ynysoedd trofannol Galápagos.

❹ TONNAU

Wrth i'r gwynt chwythu dros arwyneb y môr, bydd yn creu crychau sy'n tyfu'n donnau. Po fwyaf y bydd y gwynt yn chwythu arni hi, mwyaf fydd y don, felly bydd y tonnau mwyaf yn datblygu lle bydd gwynt cryf, cyson yn chwythu ar draws cefnfor eang. Y don fwyaf i gael ei mesur yn gywir oedd ton 30 m (98 troedfedd) o uchder yng ngogledd Môr Iwerydd yn 1995. Bydd tonnau enfawr fel honno'n trosglwyddo llawer iawn o ynni, ond ni fydd y dŵr ymhob ton yn symud ymlaen gyda'r don tan iddi dorri, gan beri i'r crib ddymchwel ar y lan.

5 LLANW A THRAI

Bydd dŵr y môr ledled y byd yn cael ei dynnu'n siâp hirgrwn gan ddisgyrchiant y Lleuad, gan greu dau 'ymchwydd llanw'. Wrth i'r Ddaear droi ar ei hechel, bydd nifer fawr o ardaloedd arfordirol yn symud i mewn ac allan o'r ymchwyddiadau hyn, gan beri i'r dŵr godi a disgyn, ddwy waith y dydd fel arfer. Bydd y llanw'n amrywio, gan ddibynnu ar natur yr arfordir. Prin y bydd modd sylwi ar y llanw ym Môr y Canoldir, er enghraifft, ond ym Môr Hafren ac ym Mae Fundy yn nwyrain Canada, a welir yn y llun, gwelir bwlch enfawr o hyd at 16 m (52 o droedfeddi) rhwng y penllanw a'r distyll.

6 TROBWLL A LLIF

Wrth i'r llanw godi, bydd yn gwthio dŵr y môr i mewn i aberoedd ac ar hyd arfordiroedd. Wrth ddisgyn yn ôl, bydd y llif yn mynd i'r cyfeiriad arall, Fel arfer, prin y bydd rhywun yn sylwi ar y llanw a'r trai. Ond pan fyddan nhw'n llifo heibio i benrhyn neu drwy gulfor, gallant gael eu cywasgu'n llif cyflym, cythryblus ac weithiau'n drobwll enfawr, fel hwn, a welir yng Ngwlff Corryvreckan ger ynys Jura oddi ar arfordir yr Alban. Byddant ar eu ffyrnicaf ar adeg y marddwr (hanner ffordd rhwng tro'r llanw) gan fynd yn ddim eto wrth i'r llanw droi.

7 Y LLEUAD

Bydd y llanw'n newid gyda chyfnodau'r Lleuad. Ddwywaith y mis, adeg lleuad lawn a lleuad newydd, bydd llawer mwy o wahaniaeth rhwng penllanw a distyll nag a welir pan fydd y lleuad ar ei hanner. Y rheswm am hyn yw bod y Lleuad mewn perthynas â'r Haul yn cyfuno'u disgyrchiant, gan greu effaith arbennig ar y llanw a elwir yn orllanw (spring tide). Pan fydd y Lleuad ar ei hanner, bydd disgyrchiant yr Haul yn gwrthbwyso effaith disgyrchiant y Lleuad, gan achosi i'r llanw fod yn llai. Yr enw am hyn yw iselfor (neap tide). O ganlyniad, bydd amrediad y llanw mewn unrhyw leoliad ar yr arfordir yn wahanol o ddydd i ddydd.

ATMOSFFER

Mae'r Ddaear wedi'i hamgylchynu gan fantell o awyr sy'n cynnwys, yn fras, 78% o nitrogen a 21% o ocsigen. Yn y canran sy'n weddill, ceir mymryn bach o garbon deuocsid, methan, osôn ac anwedd dŵr, ynghyd â nwyon eraill yn cynnwys argon, heliwm a neon. Mae 80% o'r awyr hwn yn y troposffer, haenen isaf yr atmosffer. Mae'n gweithredu fel sgrin yn erbyn yr Haul yn ystod y dydd, ac fel blanced i ddal gwres yn ystod y nos. Bydd haenen o osôn, ffurf ar ocsigen, yn y stratosffer hefyd yn gwarchod pob bywyd rhag ymbelydredd uwch-fioled peryglus.

Thermosffer
tu hwnt i 87 km (54 milltir)

Mesosffer
50–87 km (31–54 milltir)

Stratosffer
18–50 km (11–31 milltir)

Troposffer
0–18 km (0–11 milltir)

HAENAU

Nid un blanced dew o awyr yw'r atmosffer. Mae ganddo bedwar haen amlwg, o'r troposffer, i fyny drwy'r stratosffer a'r mesosffer hyd at y thermosffer, sy'n toddi i'r gofod. Eu tymheredd sy'n diffinio'r haenau hyn yn hytrach na natur yr aer sydd ynddyn nhw, ond bydd yr aer yn teneuo po uchaf y bydd yn mynd, nes bod dim aer o gwbl.

AWYR DENAU

Bydd yr awyr yn teneuo gydag uchder. Hyd yn oed ar 10km (6 milltir) uwch lefel y môr, does dim digon o aer i anadlu. Mae'r awyr denau ar uchelderau mawr yn gostwng y gwasgedd atmosfferig, gan beri i ddŵr anweddu'n haws a berwi ar dymheredd is. Gall pobl sy'n byw ar lwyfandir uchel Tibet yfed te berwedig am nad yw mor boeth â'n dŵr berw ni.

AMLEN FREGUS

O edrych arno o'r gofod, gwelir bod yr atmosffer yn ffurfio lleugylch (halo) glas, bas sy'n tywynnu o gwmpas y blaned. Mae'r haenau atmosfferig allanol yn anweledig oherwydd bod yr aer ynddyn nhw mor denau. Bydd cymylau'n codi i frig y troposffer ond dim pellach, felly mae'r holl anwedd dŵr yn yr atmosffer – a phob tywydd – wedi'i grynhoi yn yr haenen isaf.

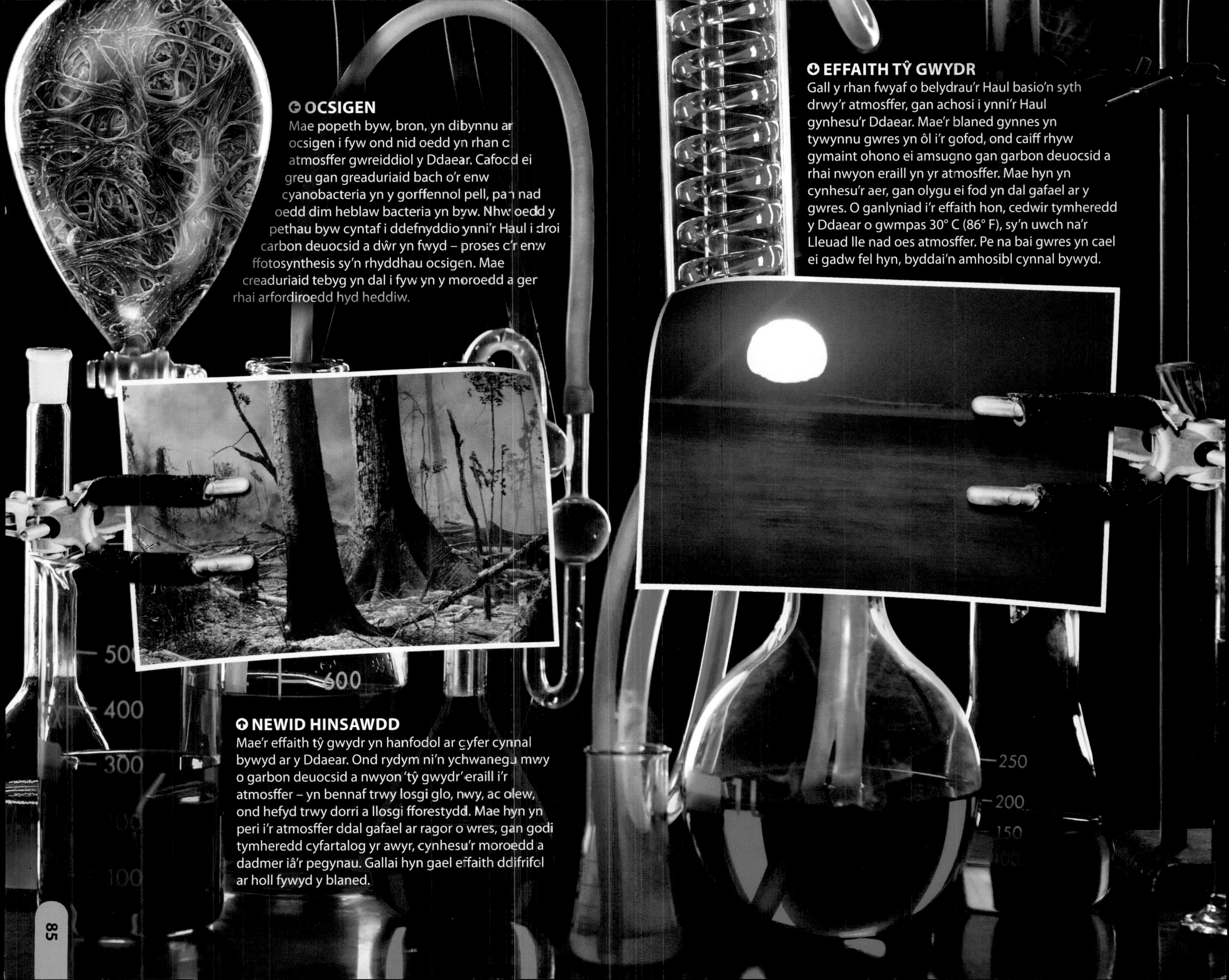

OCSIGEN

Mae popeth byw, bron, yn dibynnu ar ocsigen i fyw ond nid oedd yn rhan o atmosffer gwreiddiol y Ddaear. Cafodd ei greu gan greaduriaid bach o'r enw cyanobacteria yn y gorffennol pell, pan nad oedd dim heblaw bacteria yn byw. Nhw oedd y pethau byw cyntaf i ddefnyddio ynni'r Haul i droi carbon deuocsid a dŵr yn fwyd – proses o'r enw ffotosynthesis sy'n rhyddhau ocsigen. Mae creaduriaid tebyg yn dal i fyw yn y moroedd a ger rhai arfordiroedd hyd heddiw.

EFFAITH TŶ GWYDR

Gall y rhan fwyaf o belydrau'r Haul basio'n syth drwy'r atmosffer, gan achosi i ynni'r Haul gynhesu'r Ddaear. Mae'r blaned gynnes yn tywynnu gwres yn ôl i'r gofod, ond caiff rhyw gymaint ohono ei amsugno gan garbon deuocsid a rhai nwyon eraill yn yr atmosffer. Mae hyn yn cynhesu'r aer, gan olygu ei fod yn dal gafael ar y gwres. O ganlyniad i'r effaith hon, cedwir tymheredd y Ddaear o gwmpas 30° C (86° F), sy'n uwch na'r Lleuad lle nad oes atmosffer. Pe na bai gwres yn cael ei gadw fel hyn, byddai'n amhosibl cynnal bywyd.

NEWID HINSAWDD

Mae'r effaith tŷ gwydr yn hanfodol ar gyfer cynnal bywyd ar y Ddaear. Ond rydym ni'n ychwanegu mwy o garbon deuocsid a nwyon 'tŷ gwydr' eraill i'r atmosffer – yn bennaf trwy losgi glo, nwy, ac olew, ond hefyd trwy dorri a llosgi fforestydd. Mae hyn yn peri i'r atmosffer ddal gafael ar ragor o wres, gan godi tymheredd cyfartalog yr awyr, cynhesu'r moroedd a dadmer iâ'r pegynau. Gallai hyn gael effaith ddifrifol ar holl fywyd y blaned.

❶ PRIFWYNTOEDD

Mae gwres tanbaid y trofannau'n achosi i'r aer godi ger y cyhydedd. Bydd aer yn suddo'n ôl yn yr is-drofannau gan lifo'n ôl at y cyhydedd fel gwyntoedd arwyneb. Gelwir y cylchdroi aer hyn yn gell dargludo. Mae'r gwynt yn cael ei wyro gan dro'r Ddaear, (effaith Coriolis) gan droi i gyfeiriad y gorllewin fel gwyntoedd cyson (trade winds). Mewn ardaloedd sydd hanner ffordd rhwng y pegynau a'r cyhydedd, caiff y gwyntoedd eu gwyro i'r dwyrain. Am eu bod yn chwythu o'r gorllewin, gelwir hwy'n wynt y gorllewin. Un enghraifft o hyn yw'r Deugeiniau Gwyllt (Roaring Forties) yng Nghefnfor y De.

Gwyntoedd cyson y trofannau'n gwyro i'r gorllewin. Maen nhw'n chwythu o'r dwyrain, felly gelwir hwy'n wynt y dwyrain

Gwynt y gorllewin yw prifwyntoedd y lledredau canol

Llun lloeren o seiclon trofannol deheuol, yn dangos y cymylau'n cylchdroi yng nghyfeiriad y cloc

Glaw yn disgyn yn golofn lydan dros Montana, UDA

❷ UCHEL AC ISEL

Wrth i aer cynnes godi, mae'r symudiad am i fyny'n gostwng pwysau'r aer i greu ardal o wasgedd isel. Wrth godi, mae'n sugno mwy o aer ato, sy'n cylchdroi am i mewn ac i fyny'n droellog. Enw hyn yw seiclon, a welir ym mhatrwm y cymylau sy'n ffurfio wrth i awyr laith godi ac oeri. I'r de o'r cyhydedd bydd yr awyr yn troi i gyfeiriad y cloc, fel y dangosir yn y llun. Yn y gogledd, mae'n troi yn erbyn cyfeiriad y cloc. Ffurfir antiseiclonau gwasgedd uchel di-gwmwl gan awyr glaear sy'n disgyn. Bydd y rhain yn troi i'r gwrthwyneb.

TYWYDD

Mae'r tywydd yn cael ei yrru gan ynni sy'n tywynnu o'r Haul. Mae gwres yr Haul yn cynhyrchu ceryntau dargludo yn yr atmosffer isaf sy'n achosi prifwyntoedd y byd ac sy'n cludo lleithder a gwres o gwmpas y blaned. Wrth i aer gynnes, laith godi, mae'n ffurfio systemau gwasgedd isel, sy'n cynhyrchu cymylau, glaw ac eira. Mae'r rhain yn cael eu gwahanu gan ardaloedd o aer oerach, sy'n disgyn gan greu amgylchiadau gwasgedd uchel. Bydd hynny'n atal cymylau rhag ffurfio gan arwain at awyr glir a heulwen. Bydd aer yn llifo o wasgedd uchel i wasgedd isel ar ffurf gwyntoedd lleol, sydd yn aml yn chwythu i gyfeiriad gwahanol i'r prifwyntoedd, ac weithiau mewn stormydd ffyrnig.

3 CYMYLAU

Pan fydd aer yn codi, bydd yn chwyddo ac yn oeri. Bydd unrhyw anwedd dŵr anweledig sydd ynddo'n oeri hefyd a throi'n ddafnau dŵr – neu iâ – dirifedi gan ffurfio cymylau. Mae'r broses o gyddwyso yn rhyddhau ynni ar ffurf gwres, gan gynhesu'r awyr. Bydd hyn yn peri iddo godi'n uwch eto, gan adeiladu rhagor o gymylau. Gall y cwmwl ddal ati i godi nes bod dim anwedd dŵr ar ôl.

4 GLAW

Wrth i aer cynnes godi mewn cwmwl, bydd yn gwthio aer oer i'r neilltu. Bydd yr aer oerach hwn yn suddo a chwyrlïo i mewn i gymryd lle'r aer sy'n codi. Bydd y cerrynt aer yn taflu'r dafnau cwmwl o gwmpas a pheri iddyn nhw wrthdaro a ffurfio dafnau mwy o faint. Pan fydd y rhain yn rhy fawr i gael eu cynnal gan yr awyr sy'n codi, byddan nhw'n disgyn fel glaw. Gall cerrynt awyr cryf mewn cwmwl mawr gynnal pwysau mwy o ddŵr, gan olygu bod y glaw, pan fydd yn cwympo, dipyn yn drymach.

Bydd thermomedrau'n cofnodi gwahaniaeth yn y tymheredd o ddydd i ddydd

6

5 EIRA

Yn yr ucheldera neu yn y gaeaf gall yr aer fod yn ddigon oer i rewi'r dŵr yn grisialau bach wrth iddo godi. Bydd y crisialau'n ffurfio'n blatiau neu brismau chwe-ochrog ond os cânt eu taflu o gwmpas gan geryntau aer mewn cymylau mawr, gallant lynu yn ei gilydd a throi'n blu eira. Mae gan bob plufyn eira drefniant gwahanol o grisialau, felly mae pob un yn unigryw.

6 DAROGAN Y TYWYDD

Mae pobl y tywydd yn casglu gwybodaeth am wasgedd atmosfferig, tymheredd a glaw gan ddefnyddio lloerenni, balwnau tywydd, gorsafoedd tywydd awtomatig ac offer syml fel y thermomedrau hyn. Byddant yn bwydo'r holl ffigurau i raglen gyfrifiadurol, sy'n darogan sut y bydd y tywydd yn debygol o newid.

CYMYLAU

Mae deg math sylfaenol o gwmwl. Cânt eu henwi drwy gyfuno'r geiriau Lladin cirrus (dolen), stratus (haenen), cumulus (pentwr), a nimbus (glaw). Bydd gwaelod cymylau isel yn is na 2,000 m (6,560 troedfedd). Bydd cymylau ar lefel canolig, sydd fel arfer yn cael eu henwi gan air sy'n dechrau ag alto-, i'w gweld rhwng 2,000 – 6,000 m (6,560 – 19,680 troedfedd). Gwelir cymylau uchel, sydd fel arfer yn cael eu henwi gan air sy'n dechrau gyda siro-, yn uwch na hyn. Bydd cymylau storm cwmwlonimbws enfawr yn codi drwy bob lefel, a gallant fod mor uchel â 16 km (10 milltir) o uchder.

SIRWS

Ffurfir y cwmwl uchel sylfaenol hwn o grisialau iâ bach iawn. Bydd gwyntoedd yn chwythu'r crisialau'n ddolenni tenau, felly bydd cymylau sirws yn dangos cyfeiriad y gwynt yn uchel yn yr awyr. Er mai mewn awyr las y bydd sirws yn ffurfio fel arfer, gall fod yn arwydd bod glaw neu eira ar y ffordd. Gall hefyd ffurfio wrth i ollon awyrennau gyddwyso. Enwau Cymraeg hardd ar sirws yw cymylau gwallt y Forwyn neu eifrgymylau.

ALTOSTRATWS

Cymylau uchder canolig sy'n cyfuno'n haenau llydan, fel y gwelir yn y pellter yn y llun, yw altostratws. Crisialau iâ sydd yn y rhannau uchaf, ond dafnau glaw yw'r rhannau isaf. Bydd yn aml yn cychwyn fel haenen denau sy'n gadael i'r Haul dywynnu drwyddo, fel yn y llun. Ond mae'n troi'n fwy trwchus gan gyhoeddi bod seiclon neu wasgedd isel, a ddaw â glaw neu eira yn ei sgil, ar y ffordd.

NIMBOSTRATWS

Haenen dew, fygythiol o gwmwl glaw isel neu ganolig sy'n cuddio'r Haul yw nimbostratws. Daw i ganlyn cwmwl altostratws canolig, teneuach, wrth i seiclon neu wasgedd isel symud uwchben a'r tywydd yn gwaethygu. Bydd fel arfer yn cynhyrchu glaw cyson neu eira, a all fod yn drwm – ond byth mor drwm â glaw taranau.

[illegible] ffurfio patrwm o haenau cylchog hir sy'n gallu gorchuddio'r awyr neu ddangos awyr las rhyngddyn nhw. Un enw Cymraeg ar y math hwn o gwmwl yw traeth awyr, am ei fod yn edrych fel patrwm tywod gwlyb.

SIROSTRATWS

Haenen gyson o gwmwl uchel, fel y gwelir ar frig y llun hwn, yw sirostratws. Gall liwio'r awyr yn wyn yn ystod y dydd, ac yn goch adeg y machlud, ond mae'n ddigon tenau i'r Haul, a hyd yn oed y Lleuad, dywynnu drwyddo. Os yw sirostratws yn ffurfio o gymylau sirws tenau, mae'n arwydd bod tywydd gwael ar y ffordd. Ond os yw'r cwmwl yn chwalu, mae'n golygu bod y tywydd ar fin gwella.

STRATWS

Yr enw a roddir ar unrhyw haenen gyson o gwmwl yw stratws. Bydd fel arfer yn ffurfio'n isel, gan droi'r awyr gyfan yn llwyd diflas, ond gall ffurfio ychydig yn uwch, fel yn y llun hwn a dynnwyd adeg y machlud. Bydd stratws yn ffurfio wrth i awyr llaith gael ei gario dros arwyneb oer, fel y môr, gan oeri'r anwedd dŵr nes iddo gyddwyso'n gwmwl. Yr un broses sy'n creu niwl hefyd.

CWMWLONIMBWS

Y cymylau mwyaf yw'r rheiny sy'n rhoi glaw trwm, mellt a chesair neu genllysg. Bydd gwaelod cwmwl cwmwlonimbus yn agos at y ddaear, fel y gwelir yng nghefndir y llun, ond gall godi i'r lefel uchaf lle bydd yn lledu fel madarch gan na all godi'n uwch. Bydd ceryntau ffyrnig yn y cymylau hyn, sy'n taflu dafnau glaw a chrisialau iâ i fyny ac i lawr nes iddyn nhw ddisgyn ar ffurf glaw trwm a chesair.

CWMWLWS

Dyma'r cymylau gwynion fel gwlân cotwm sydd i'w gweld mewn awyr las yn yr haf. Byddan nhw'n ffurfio pan fydd aer llaith, cynnes, yn codi'n ddigon uchel nes bod y tymheredd yn ddigon isel i gyddwyso anwedd dŵr yn ddafnau. Wrth i'r aer godi, bydd aer oerach yn disgyn o gwmpas pob cwmwl, gan ei rwystro rhag lledu i'r ochr. Gall cwmwlws gynyddu'n gymylau mwy bygythiol ond ni fydd cymylau fel y rhai yn y llun byth yn rhoi glaw.

TYWYDD EITHAFOL

Gall cynhesrwydd mawr gan yr Haul achosi i ddŵr anweddu'n gyflym iawn, gan beri i awyr laith, gynnes godi'n anarferol o gyflym. Bydd hyn yn adeiladu cymylau cwmwlonimbws enfawr sy'n achosi stormydd mellt a tharanau gyda chesair, ac yn creu amodau gwasgedd isel iawn. Bydd awyr yn chwyrlïo i ardal y gwasgedd isel, gan greu pwysedd isel gyda gwyntoedd cryfion. Yn y cefnforoedd trofannol, bydd gwres mawr yn achosi corwyntoedd. Mewn achosion eithafol gall y dynfa beri i droell ddinistriol tornado ffurfio.

CESAIR

Mae'r cymylau cwmwlonimbws enfawr sy'n achosi stormydd o daranau yn cael eu hadeiladu gan gerhyntau awyr grymus. Gall y cerhyntau hyn godi ar gyflymder o 160 kya (100 mya) neu ragor. Bydd crisialau iâ sy'n cael eu taflu o gwmpas yn yr awyr aflonydd yn crynhoi dŵr sy'n rhewi iddyn nhw, ac os cânt eu taflu i fyny ac i lawr ddigon o weithiau bydd hyn yn creu haen ar ôl haen o iâ i greu cesair neu genllysg. Os yw'r cerhyntau awyr yn ddigon cryf, gallant greu cesair enfawr – a pheryglus iawn – fel y rhain.

MELLT

Wrth i'r cerrynt awyr mewn cwmwl storm daflu crisialau iâ o gwmpas, bydd ffrithiant rhwng y crisialau'n creu trydan statig. Mae'n trydanu'r cwmwl fel batri enfawr, gyda'r llwyth cadarnhaol ar y pen a'r llwyth negyddol ar y gwaelod. Os bydd y foltedd yn cyrraedd tua miliwn o foltiau, caiff ei ollwng fel sbarc enfawr o fellt. Bydd yn cynhesu'r awyr ar hyd llwybr y fellten i'r fath dymheredd uchel nes peri iddo ymestyn yn ffrwydrol, gan achosi'r don sioc a elwir yn daran.

TORNADO

Caiff y digwyddiadau brawychus hyn eu hachosi gan awyr yn chwyrlïo i mewn at waelod cwmwl storom egnïol iawn a throelli i fyny. Mae'r dynfa'n ddigon cryf i ddinistrio tai. Y gwyntoedd o gwmpas tornados mawrion yw'r rhai mwyaf nerthol i gael eu mesur erioed, yn chwythu ar gyflymder o 512 kya (318 mya) neu fwy ar un achlysur.

↓ CORWYNT

Yn y moroedd trofannol, bydd gwres yr haf yn achosi i lawer iawn o ddŵr droi'n anwedd dŵr. Bydd hwn yn codi i ffurfio cymylau storm enfawr, sy'n troelli o gwmpas ardal o wasgedd isel iawn. Bydd y cymylau'n cylchdroi am i mewn, gyda'r gwynt yn codi i gyflymder o 300kya (185 mya) neu ragor wrth i'r troelli fynd yn dynnach – ond bydd llygad y ddrycin yn glir a llonydd.

↑ COLOFN DDŴR

Gall tornados ddatblygu dros y môr a llynnoedd mawr, yn enwedig yn ardaloedd y trofannau. Bydd y dynfa gref sy'n tynnu awyr i fyny i'r cwmwl yn codi dŵr gydag ef felly caiff ei galw'n golofn ddŵr. Bydd colofn ddŵr fel arfer yn llai ffyrnig na thornado, ond gall droi cwch drosodd yn hawdd. Bydd yn achosi'r dinistr mwyaf pan fydd yn dymchwel ac yn gollwng ei llwyth mawr o ddŵr.

Tynfa'n gallu cyrraedd cyflymder o 240 kya (150 mya)

Cwmwl tynffedol cul yn ymestyn i lefel y ddaear

↑ YMCHWYDD STORM

Yn ystod corwynt, bydd y gwyntoedd a'r gwasgedd isel eithriadol dros y môr yn gallu codi tomen o ddŵr neu 'ymchwydd storm'. Gall sgubo dros y tir fel tswnami ac achosi dinistr ofnadwy. Bu bron i ymchwydd storm ddinistrio dinas New Orleans yn yr UDA yn 2005, a lladdwyd o leiaf 150,000 o bobl yn Byrma (Myanmar) gan un yn 2008.

HINSAWDD

Hinsawdd ardal yw ei thywydd ar gyfartaledd – tymheredd, glaw, gwynt – a sut y bydd hyn yn newid o dymor i dymor. Caiff ei ddiffinio gan gyfuniad o bellter yr ardal oddi wrth y cyhydedd, ei uchder uwch lefel y môr, a pha mor agos i'r môr y mae. Mae'r hinsawdd yn un o'r ffactorau mwyaf dylanwadol ar gymeriad tir – p'un ai ydyw'n ir a ffrwythlon, yn anial a llychlyd neu wedi rhewi dros gyfnod neu gydol y flwyddyn. Felly er mai ystadegau sy'n diffinio hinsawdd, bydd ei effeithiau fel arfer yn amlwg iawn.

❶ YNNI'R HAUL
Mae'r heulwen ar ei chryfaf yn y trofannau, lle bydd yn taro'r Ddaear yn uniongyrchol, ac ar ei gwannaf yn y pegynau, lle caiff ei chwalu. Mae'r Ddaear yn troi ar echel gam, felly bydd yr ardaloedd sy'n wynebu'r haul fwyaf yn newid gydol y flwyddyn, gan greu tymhorau. Gwelir hyn ar ei fwyaf eithafol yn y pegynau lle bydd hi'n olau bron drwy'r amser yn yr haf ac yn dywyll ac oer iawn drwy'r gaeaf.

❷ TROFANNOL
Yn y trofannau, bydd gwres mawr y dydd yn peri i lawer iawn o ddŵr anweddu o'r môr, gan godi gwregys parhaol, bron, o gymylau storm o gwmpas y byd. Bydd y cymylau'n arllwys glaw trwm ar y tir bron bob dydd. Mae'r glaw'n cynnal y fforestydd trofannol, sy'n creu eu hinsawdd eu hunain, trwy ollwng mwy o wlybaniaeth i'r awyr.

❸ IS-DROFANNOL
Bydd yr awyr laith sy'n codi yn y trofannau'n llifo i'r gogledd ac i'r de ar uchder mawr. Erbyn iddo gyrraedd yr is-drofannau bydd wedi oeri a cholli pob tamaid o anwedd dŵr. Bydd yn dechrau suddo gan greu ardaloedd eang o wasgedd uchel, ond wrth iddo suddo, bydd yr awyr yn cynhesu, yn amsugno unrhyw leithder o'r tir islaw a'i gario i ffwrdd, gan greu diffeithwch is-drofannol fel y Sahara neu ganol anial Awstralia.

❹ MONSŴN
Bydd gogledd Asia'n oer iawn yn y gaeaf, gan oeri'r awyr sydd uwchben a pheri iddo suddo. Bydd yr awyr yn llifo i'r de tuag at Fôr India, lle bydd yn dechrau codi eto. Yn y gaeaf, felly, bydd India'n cael ei sgubo gan awyr cyfandirol sych, a cheir misoedd o sychder. Ond yn yr haf, bydd y cyfandir yn cynhesu. Bydd yr awyr hefyd yn cynhesu gan godi a thynnu awyr laith o'r cefnfor, gan achosi glaw trwm iawn. Enw'r gweddnewidiad tymhorol hwn yw monsŵn.

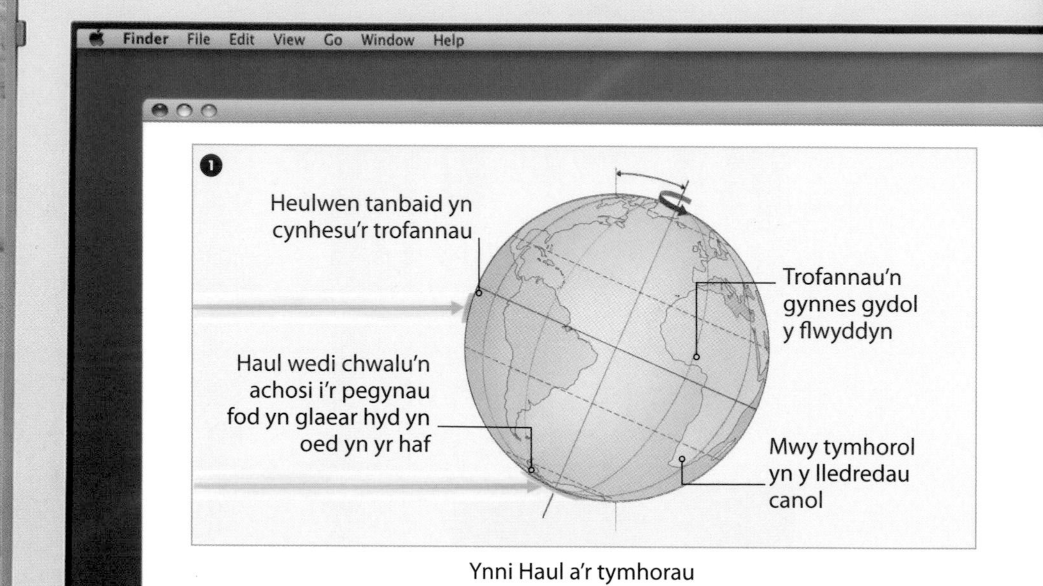

Ynni Haul a'r tymhorau

❸ Diffeithwch Libya

❺ Prysgdir Môr y Canoldir, Ffrainc

❷

❺ PRYSGDIR SYCH

O gwmpas Môr y Canoldir ac mewn ardaloedd tebyg, megis rhannau o Galiffornia ac Awstralia, bydd hafau poeth a sych yn dilyn gaeafau mwyn a gwlyb. Mae hyn yn ddelfrydol ar gyfer llwyni bythwyrdd ag iddyn nhw ddail bach fel lledr, llwyni fel olewydd gwyllt a chwerwlys, sy'n cysgu dros yr haf ac yn tyfu yn y gaeaf. Addasodd llawer o'r planhigion i wrthsefyll tanau cyson, a bydd yn rhaid wrth dân i rai o'r planhigion hyn fwrw had.

❻ MOROL

Yn yr ardaloedd tymherus, bydd systemau tywydd yn symud tua'r dwyrain o'r moroedd i'r tir. Mae hyn yn golygu y bydd gan ymylon gorllewinol y cyfandiroedd – megis Iwerddon a Chymru – dywydd mwyn, llaith, morol gyda choedwigoedd a gwair ir. Erbyn i'r awyr gyrraedd canol y cyfandiroedd bydd wedi colli'r rhan fwyaf o'i leithder, felly gwelir paith sych a hyd yn oed ddiffeithwch yn lle.

❼ YMYLON Y PEGYNAU

O gwmpas iâ'r Arctig ceir twndra di-goed, hesb yr olwg, sy'n arwain yn y pen draw at wregys o goed bythwyrdd. Mae'r gaeafau'n oer iawn yma, yn enwedig yn yr ardaloedd cyfandirol, ymhell o'r môr. Yn y twndra, bydd hyn yn achosi i'r tir rewi'n barhaol. Bydd yr hafau'n glaear, ond yn ddigon cynnes i ddadmer eira'r gaeaf a gadael i blanhigion gwydn, sydd wedi addasu at yr oerfel, dyfu.

❽ DIFFEITHWCH Y PEGYNAU

Prin iawn yw'r eira fydd yn disgyn yn ardal y pegynau, am y bydd awyr oer yn suddo dros y pegynau gan rwystro cymylau rhag ffurfio. Diffeithdiroedd oer yw'r ardaloedd hyn mewn gwirionedd. Dros y rhan fwyaf o'r Ynys Las a'r Antarctig nid yw'r hafau'n ddigon cynnes i ddadmer yr eira, sy'n cynyddu dros y canrifoedd a chreu llenni iâ parhaus. Ni all planhigion dyfu yn y fath amgylchiadau, ac nid oes llawer o fywyd o gwbl yma.

Glaw monsŵn, India

Arfordir Gweriniaeth Iwerddon

GWAWL Y GWYRDDNI

Mae coed gwydn yn pefrio'n wyrdd ir ynghanol ffurfiau craig folcanig Dyffryn Capadocia yn Nhwrci. Gall bywyd ffynnu yn y lleoedd mwyaf garw, diolch i broses anhygoel esblygiad.

Parthau bywyd

STORI BYWYD

Does neb yn gwybod yn iawn sut y dechreuodd bywyd. Mae rhai'n awgrymu bod hadau bywyd wedi glanio ar y Ddaear wrth i un o'r myrdd comedau dyfrllyd, rhewllyd ffrwydro i mewn i'r blaned yn gynnar yn ei hanes. Efallai bod hyn yn bosib, ond rhaid bod unrhyw ddeunydd byw a gyrhaeddodd fel yna wedi cael ei ffurfio yn rhywle, o ganlyniad i broses wnaeth dynnu ynghyd cemegau syml a'u troi'n foleciwlau cymhleth iawn sy'n hanfodol i'r bywyd mwyaf cyntefig hyd yn oed. Mae'r rhan fwyaf o wyddonwyr yn credu bod hynny wedi digwydd yma ar y Ddaear tua 3.8 biliwn o flynyddoedd yn ôl, o fewn 800 miliwn o flynyddoedd o ffurfio'r blaned.

❶ FFURFIO'R DDAEAR

Pan ffurfiodd y Ddaear allan o nwy a llwch tua 4.6 biliwn o flynyddoedd yn ôl, planed farw oedd hi yn fiolegol. Ond wrth i'w chreigiau oeri, roedden nhw'n cynnwys pob elfen sy'n hanfodol i gemeg pethau byw. Oherwydd disgyrchiant a lleoliad y Ddaear yng Nghysawd yr Haul, llwyddodd i ddal gafael ar atmosffer a moroedd o ddŵr gwlyb – amodau hanfodol ar gyfer esblygiad bywyd.

❷ MOLECIWLAU BYW

Mae popeth byw yn dibynnu ar y moleciwlau carbon-seiliedig sy'n ffurfio deunyddiau organig cymhleth megis proteinau. Bydd pethau byw yn creu eu proteinau eu hunain, gan ddefnyddio cyfarwyddiadau mewn cod a geir yn y moleciwlau troellog o DNA (asid diocsiriboniwclëig) a etifeddwyd gan eu rhieni. Ond mae'n rhaid mai adwaith cemegol pur a ffurfiodd y moleciwlau byw cyntaf, wedi'i danio gan ynni trydanol mellt.

❸ CELLOEDD BYW

Mae moleciwl DNA yn gallu atgynhyrchu ei hun trwy hollti'n ddau ac ychwanegu cemegau amrwd i'r ddau hanner. Er mwyn gwneud hyn – ac i wneud protein – bydd arno angen cyflenwad rheolaidd o faeth cemegol. Bu datblygu'r gell – pecyn bychan iawn sy'n cynnwys dŵr a phob maeth hanfodol, ynghyd â DNA a moleciwlau organig eraill – yn allweddol i esblygiad bywyd. Bacteria oedd y celloedd cyntaf hyn, y dull symlaf o bob ffurf ar fywyd.

❹ YNNI O OLAU

Mae bywyd angen ynni. Tua 3.8 biliwn o flynyddoedd yn ôl, dibynnai'r bacteria cyntaf ar ynni oedd yn sownd mewn cemegau. Mae yna bethau byw tebyg yn dal i fodoli mewn ffynhonnau poeth. Dros biliwn o flynyddoedd yn ddiweddarach, esblygodd bacteria ffordd o amsugno ynni o heulwen, a'i ddefnyddio i droi carbon deuocsid a dŵr yn siwgr ac ocsigen. O ganlyniad i'r broses hon, a elwir yn ffotosynthesis, crëwyd holl ocsigen yr atmosffer gan y cyanobacteria hyn.

❺ UWCHGELLOEDD

Celloedd syml yw bacteria, celloedd 'procaryotig', sef bagiau bychan bach o gemegau a moleciwlau organig. Tua 2.5 biliwn o flynyddoedd yn ôl, esblygodd math mwy cymhleth o gell, yn cynnwys strwythurau arbenigol ar gyfer tasgau gwahanol. Mae'r rhain yn cynnwys bywyn sy'n cynnwys DNA'r gell ac sy'n rheoli strwythurau eraill fel y rhai sy'n troi bwyd yn ynni. Mae'r celloedd 'ewcaryotig' hyn yn fwy cymhleth na bacteria ac yn cynnwys amrywiaeth enfawr o bethau byw un-gell, megis diatomau planctonaidd.

❻ CLWSTWR CELLOEDD

Creaduriaid un-gell oedd yr holl bethau byw cynharaf, fel y rhan fwyaf o ficrobau heddiw. Ymhen amser, fodd bynnag, daeth rhai at ei gilydd i ffurfio clystyrau fel Folfocs – creadur sydd i'w weld mewn dŵr croyw heddiw ac sy'n cynnwys dros 500 o gelloedd ewcaryotig wedi'u huno gan sffêr. Erbyn tua 2.2 biliwn o flynyddoedd yn ôl, roedd clystyrau tebyg yn cynnwys celloedd arbenigol oedd yn dibynnu ar eraill am gynhaliaeth hanfodol. Roedd y clystyrau hyn yn datblygu i fod yn bethau byw aml-gell cynnar.

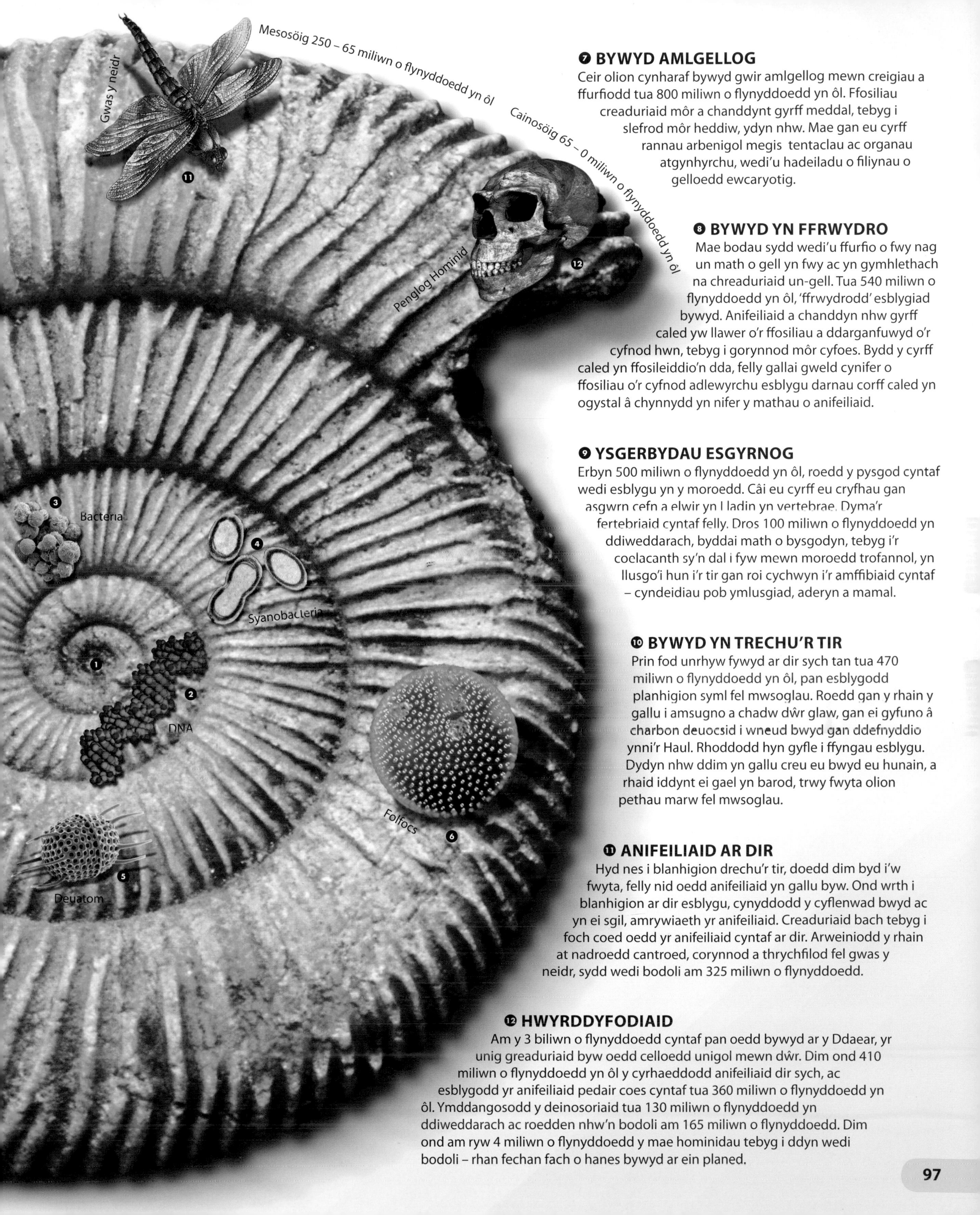

❼ BYWYD AMLGELLOG

Ceir olion cynharaf bywyd gwir amlgellog mewn creigiau a ffurfiodd tua 800 miliwn o flynyddoedd yn ôl. Ffosiliau creaduriaid môr a chanddynt gyrff meddal, tebyg i slefrod môr heddiw, ydyn nhw. Mae gan eu cyrff rannau arbenigol megis tentaclau ac organau atgynhyrchu, wedi'u hadeiladu o filiynau o gelloedd ewcaryotig.

❽ BYWYD YN FFRWYDRO

Mae bodau sydd wedi'u ffurfio o fwy nag un math o gell yn fwy ac yn gymhlethach na chreaduriaid un-gell. Tua 540 miliwn o flynyddoedd yn ôl, 'ffrwydrodd' esblygiad bywyd. Anifeiliaid a chanddyn nhw gyrff caled yw llawer o'r ffosiliau a ddarganfuwyd o'r cyfnod hwn, tebyg i gorynnod môr cyfoes. Bydd y cyrff caled yn ffosileiddio'n dda, felly gallai gweld cynifer o ffosiliau o'r cyfnod adlewyrchu esblygu darnau corff caled yn ogystal â chynnydd yn nifer y mathau o anifeiliaid.

❾ YSGERBYDAU ESGYRNOG

Erbyn 500 miliwn o flynyddoedd yn ôl, roedd y pysgod cyntaf wedi esblygu yn y moroedd. Câi eu cyrff eu cryfhau gan asgwrn cefn a elwir yn Lladin yn vertebrae. Dyma'r fertebriaid cyntaf felly. Dros 100 miliwn o flynyddoedd yn ddiweddarach, byddai math o bysgodyn, tebyg i'r coelacanth sy'n dal i fyw mewn moroedd trofannol, yn llusgo'i hun i'r tir gan roi cychwyn i'r amffibiaid cyntaf – cyndeidiau pob ymlusgiad, aderyn a mamal.

❿ BYWYD YN TRECHU'R TIR

Prin fod unrhyw fywyd ar dir sych tan tua 470 miliwn o flynyddoedd yn ôl, pan esblygodd planhigion syml fel mwsoglau. Roedd gan y rhain y gallu i amsugno a chadw dŵr glaw, gan ei gyfuno â charbon deuocsid i wneud bwyd gan ddefnyddio ynni'r Haul. Rhoddodd hyn gyfle i ffyngau esblygu. Dydyn nhw ddim yn gallu creu eu bwyd eu hunain, a rhaid iddynt ei gael yn barod, trwy fwyta olion pethau marw fel mwsoglau.

⓫ ANIFEILIAID AR DIR

Hyd nes i blanhigion drechu'r tir, doedd dim byd i'w fwyta, felly nid oedd anifeiliaid yn gallu byw. Ond wrth i blanhigion ar dir esblygu, cynyddodd y cyflenwad bwyd ac yn ei sgil, amrywiaeth yr anifeiliaid. Creaduriaid bach tebyg i foch coed oedd yr anifeiliaid cyntaf ar dir. Arweiniodd y rhain at nadroedd cantroed, corynnod a thrychfilod fel gwas y neidr, sydd wedi bodoli am 325 miliwn o flynyddoedd.

⓬ HWYRDDYFODIAID

Am y 3 biliwn o flynyddoedd cyntaf pan oedd bywyd ar y Ddaear, yr unig greaduriaid byw oedd celloedd unigol mewn dŵr. Dim ond 410 miliwn o flynyddoedd yn ôl y cyrhaeddodd anifeiliaid dir sych, ac esblygodd yr anifeiliaid pedair coes cyntaf tua 360 miliwn o flynyddoedd yn ôl. Ymddangosodd y deinosoriaid tua 130 miliwn o flynyddoedd yn ddiweddarach ac roedden nhw'n bodoli am 165 miliwn o flynyddoedd. Dim ond am ryw 4 miliwn o flynyddoedd y mae hominidau tebyg i ddyn wedi bodoli – rhan fechan fach o hanes bywyd ar ein planed.

BIOAMRYWIAETH

Dros yr 800 miliwn o flynyddoedd diwethaf, gwelwyd bywyd yn ei holl ffurf yn amrywio'n rhyfeddol o fawr. Ymunodd ffyngau, planhigion ac anifeiliaid â'r creaduriaid un-gell a oedd wedi dylanwadu cymaint yn ystod y 3 biliwn mlynedd flaenorol. Y rhain, ynghyd â'r bacteria a'r protistiaid un-gell, yw pum byd bywyd. Tra bo miliynau o rywogaethau wedi esblygu, diflannodd miliynau'n rhagor, mewn proses ddiddiwedd sy'n trawsnewid natur bywyd ar y Ddaear drwy'r amser.

FFYNGAU

Yn wahanol i blanhigyn, ni all ffwng greu ei fwyd ei hun a rhaid iddo fwyta bwyd parod, fel y gwna anifail. Un gell sydd gan furumau bychan iawn ond mae'r rhan fwyaf o ffyngau'n aml-gellog gyda rhwydwaith o goesau fel edau. Gall y rhain dyfu strwythurau sy'n cynhyrchu sborau – madarch fyddwn ni'n eu galw nhw. Mae rhai ffyngau'n cynnwys algâu sy'n gallu cynhyrchu bwyd, gan greu bywyd cyfansawdd gwydn, a elwir yn gen.

PLANHIGION

Bydd pob planhigyn, bron, yn defnyddio ynni'r Haul i droi carbon deuocsid a dŵr yn fwyd mewn proses a elwir yn ffotosynthesis. Mae hyn yn creu'r bwyd sy'n hanfodol i fathau eraill o fywyd ar y tir. Mwsoglau bach oedd y planhigion cyntaf, yna daeth rhedyn a sycadau, a'r coed conwydd a phlanhigion blodeuol eraill, sy'n cynnwys llawer iawn o goed.

BYWYD ANIFEILIAID – AR DIR

Wrth i anifeiliaid addasu i fywyd ar dir sych, roedd angen iddyn nhw esblygu ffyrdd o rwystro'u cyrff rhag sychu. Cadwodd rhai gysylltiad â dŵr ar gyfer cenhedlu ond datblygodd anifeiliaid eraill ffyrdd o genhedlu heb fod angen dŵr. Bydd rhai anifeiliaid, megis malwod, crancod tir a brogaod yn dal yn gaeth i lefydd llaith. Llwyddodd eraill, fel trychfilod, ymlusgiaid, mamaliaid ac adar, i ymgartrefu ym mhob cynefin posib ar dir sych.

BACTERIA

Dyma'r math symlaf o fywyd. Un gell brocaryotig sydd ganddo, ac iddi strwythur llawer symlach na chelloedd ewcaryotig y protistiaid a'r pethau byw aml-gellog. Er gwaetha hyn, bydd rhai ffurfiau – syanobacteria – yn defnyddio ffotosynthesis i greu bwyd, gan ryddhau ocsigen wrth wneud. Yn y gorffennol pell, dyma a gynhyrchodd yr ocsigen a wnaeth i fywyd anifeiliaid fod yn bosib.

PROTISTIAID

Creadigaethau meicrosgopig yw'r rhan fwyaf o brotistiaid, pob un yn cynnwys un gell 'ewcaryotig'. Bydd rhai, fel deuatomau ac algâu, yn creu bwyd fel y bydd planhigion yn gwneud. Bydd eraill, fel y fforaminifferau a'r rheiddiolion, yn bwyta fel anifeiliaid. Bydd y rhain oll yn arnofio'r cefnforoedd ar ffurf plancton. Algâu amlgellog yw gwymon, sy'n gallu tyfu'n llawer iawn mwy.

BYWYD ANIFEILIAID – YN Y DŴR

Creaduriaid amlgellog sy'n cael eu maeth oddi wrth fwyd a gynhyrchir gan rywbeth arall yw pob anifail. Mae angen ocsigen arnyn nhw hefyd er mwyn troi'r maeth hyn yn ynni. Esblygodd yr anifeiliaid cyntaf mewn dŵr a bydd y rhan fwyaf yn dal yn byw mewn cynefinoedd dyfrllyd. Maen nhw'n amrywio o sbyngau, sy'n ychydig mwy na chlwstwr o gelloedd, i greaduriaid gweithgar ag asgwrn cefn, fel pysgod.

BYWYD Y CEFNFOR

Mae'r rhan fwyaf o fywyd y Ddaear yn byw yn rhannau uchaf y cefnforoedd. Yma, bydd heulwen yn darparu ynni er mwyn i blancton a gwymon greu bwyd drwy ffotosynthesis, a bydd hyn yn cynnal yr anifeiliaid. Mae'r cefnforoedd dwfn yn rhy dywyll ar gyfer ffotosynthesis, felly bydd anifeiliaid yn byw yno drwy fwyta unrhyw beth sy'n suddo yno neu drwy fwyta anifeiliaid eraill. Fel arfer, bydd ynni'n pasio i fyny'r gadwyn fwyd gan ddechrau gyda'r plancton mân hyd at yr helwyr cryfaf.

❸ **Penwaig** Bydd heigiau o bysgod o faint bach neu ganolig, megis brwyniaid a phenwaig, yn bwyta'r plancton, gan ddefnyddio cribau tegyll i hidlo'r creaduriaid bach o'r dŵr. Gall yr heigiau hyn dyfu'n enfawr mewn moroedd lle bydd llawer o blancton.

❹ **Adar y môr** Bydd heidiau o adar megis huganod yn ymosod ar yr heigiau o bysgod o'r awyr. Bydd yr adar hyn yn plymio wysg eu pen i'r dŵr i afael mewn pysgodyn â'u pig hir. Byddan nhw'n treulio'r rhan fwyaf o'u hamser yn hela ar y môr ond byddan nhw'n cenhedlu mewn nythfeydd enfawr ar yr arfordiroedd.

❺ **Tiwna** Yn eu tro, bydd yr heigiau o bysgod sy'n dilyn y plancton yn denu pysgod ysglyfaethus, mwy o faint, fel eog a thiwna. Bydd y rhain hefyd yn ffurfio heigiau ond gallant symud yn gynt, gan groesi'r cefnfor wrth chwilio am brae. Gall tiwna nofio'n gyflym a theithio'n bell iawn.

❻ **Siarcod** Caiff helwyr fel tiwna eu hela gan reibwyr mwy fel marlyn, cleddbysgodyn a siarcod y cefnfor. Mae'r siarc teigr yn un o'r mwyaf nerthol a pheryglus. Gall ei ddannedd miniog dorri drwy gragen crwban y môr.

❼ **Cawr o hidlwr bwyd** Yr anifeiliaid mwyaf yn y môr yw'r siarcod a'r morfilod enfawr sy'n bwyta drwy hidlo anifeiliaid bach o'r dŵr. Gall heulforgi dyfu'n fwy na 12m (40 troedfedd) o hyd.

❶ **Ffytoplancton** Bydd y protistiaid un-gell hyn yn troi cemegau amrwd yn ddeunydd organig sy'n sail i fwyd creaduriaid eraill. Fyddan nhw ond yn ffynnu mewn dŵr sy'n llawn o faeth, yn arbennig ger yr arfordiroedd ac yng nghefnforoedd y pegynau.

❷ **Söoplancton** Bydd heidiau o anifeiliaid bychan, yn bennaf, yn arnofio gyda'r ffytoplancton, gan ei fwyta a hela'i gilydd. Maen nhw'n cynnwys anifeiliaid aeddfed fel copepodau, a larfaod creaduriaid fel crancod a molysgiaid sy'n newid eu ffordd o fyw wrth aeddfedu.

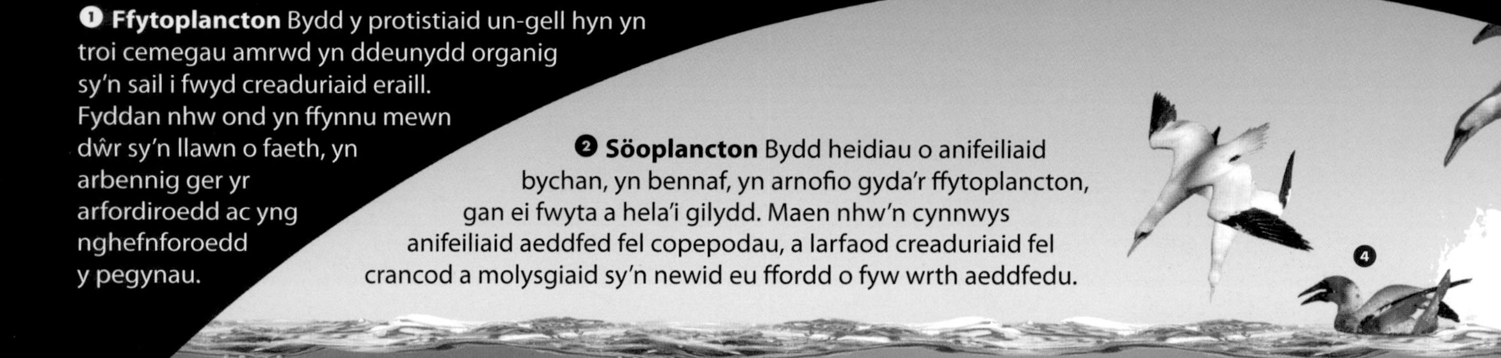

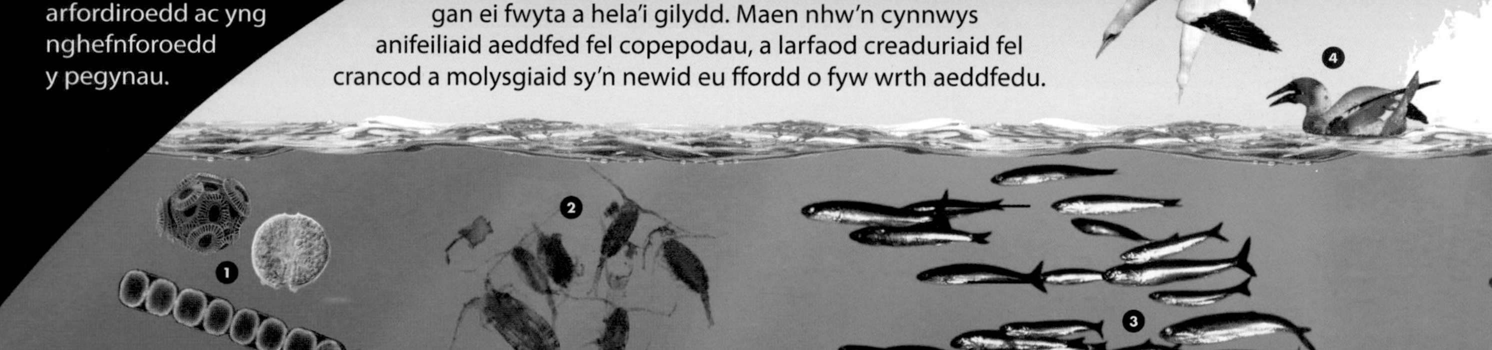

PARTH YR HEULWEN

Gan ymestyn o wyneb y dŵr i ddyfnder o 200 m (660 troedfedd) mewn dŵr clir, dim ond rhan fechan o'r môr yw parth yr heulwen, gan fod dyfnder y môr ar gyfartaledd tua 3,800 m (12,470 troedfedd). Er hyn, dyma ble y bydd y rhan fwyaf o'r anifeiliaid. Maen nhw'n ffurfio rhwydwaith fwyd gymhleth sy'n seiliedig ar gymylau o ffytoplancton – sy'n creu bwyd – a'r heidiau o söoplancton sy'n arnofio gyda nhw.

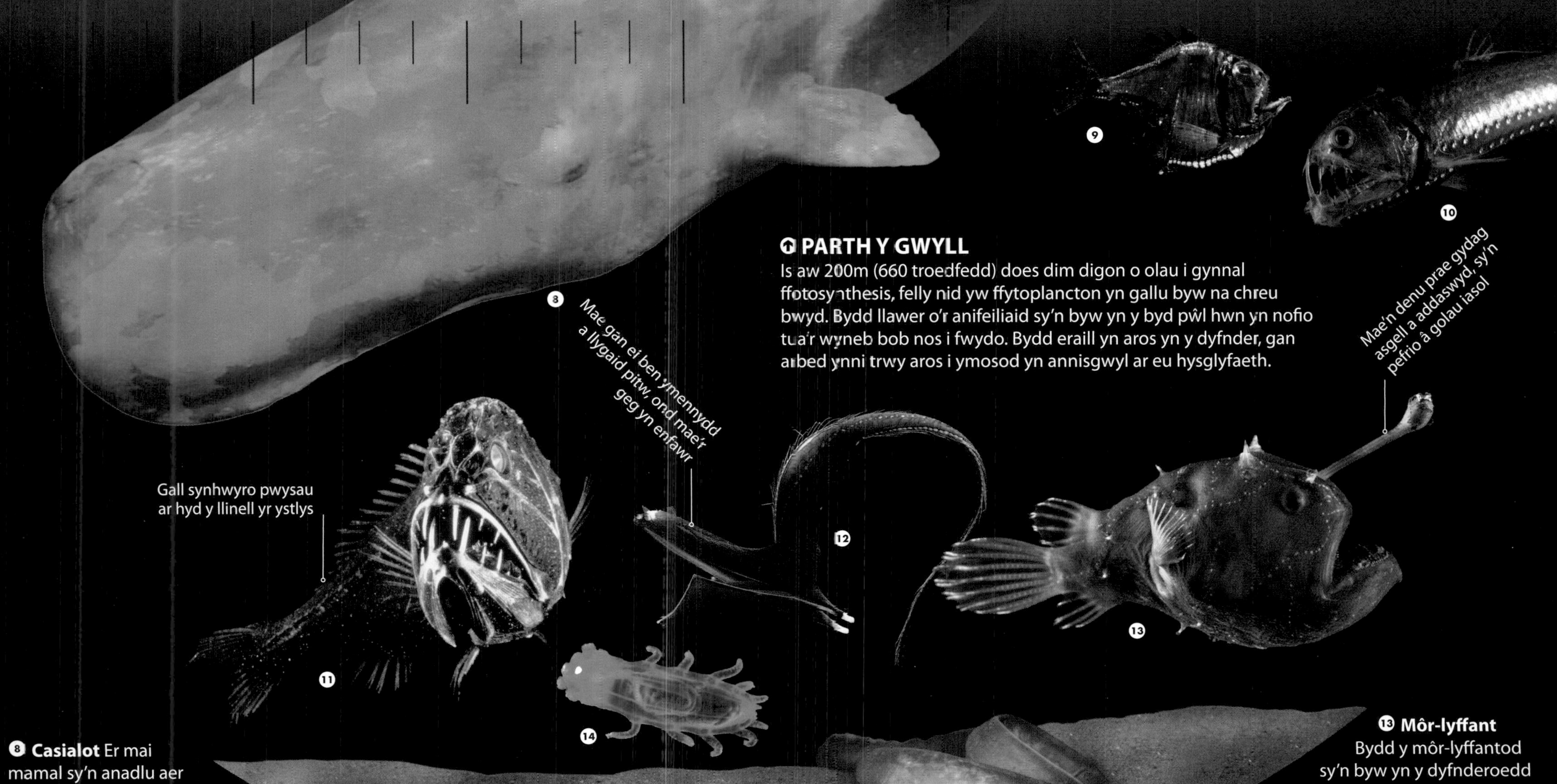

PARTH Y GWYLL

Is aw 200m (660 troedfedd) does dim digon o olau i gynnal ffotosynthesis, felly nid yw ffytoplancton yn gallu byw na chreu bwyd. Bydd llawer o'r anifeiliaid sy'n byw yn y byd pŵl hwn yn nofio tua'r wyneb bob nos i fwydo. Bydd eraill yn aros yn y dyfnder, gan arbed ynni trwy aros i ymosod yn annisgwyl ar eu hysglyfaeth.

8 Casialot Er mai mamal sy'n anadlu aer ydyw, mae'r casialot anhygoel yn gallu plymio mor ddwfn â 1,000 m (3,300 troedfedd) i hela môr-lewys mawr. Bydd yn storio ocsigen yn ei gyhyrau a gall aros o dan y dŵr am 45 munud neu ragor.

9 Môr-fwyell Bydd y pysgod fflat hyn yn bwyta anifeiliaid bach sy'n byw ym mharth y gwyll yn ystod y dydd, ond pan ddaw'r nos, symudant i wyneb y môr. Bydd eu boliau'n pefrio'n las, fel lliw arwyneb y môr, gan guddio'u hamlinell.

10 Môr-wiber Mae gan y fôr-wiber ddannedd hir, main fel nodwydd – fel llawer o helwyr y dwfn, er mwyn gwneud yn siŵr na fydd dim sy'n cael ei ddal ganddo'n dianc, oherwydd prin yw helfa yn nyfnder y môr.

PARTH Y TYWYLLWCH

Islaw 1,000m (3,300 troedfedd) diflanna'r glesni olaf o oleuni ac mae'r dŵr yn ddu fel y fagddu, heblaw am lewyrch rhyfedd yr anifeiliaid goleuol sy'n byw yma. Bydd llawer o'r helwyr yma'n ymdebygu i greaduriaid o hunllef, gyda'u dannedd hir a'u cegau mawr hyll. Ailgylchu gweddillion cyrff marw anifeiliaid sydd wedi suddo oddi fry wna llawer o'r bwytawyr sy'n byw ar waelod y môr.

11 Pysgodyn danheddog Fel y fôr-wiber, mae gan y pysgodyn danheddog lawer o arfau ar gyfer dal ei ysglyfaeth. Mae ganddo synhwyrau main i ddarganfod ei brae yn y tywyllwch, gan gynnwys ymwybyddiaeth fanwl o newidiadau mewn pwysedd a chryndod yn y dŵr.

12 Llysywen ceg ymbarel Ei cheg yw rhan helaethaf y llysywen ryfedd hon, gyda'i safn enfawr a'i bol fel balŵn. Gall rhai rhywogaethau lyncu anifeiliaid o'r un maint â rhw neu hyd yn oed yn fwy, gan ddarparu digon o fwyd i'w cynnal am rai wythnosau.

13 Môr-lyffant Bydd y môr-lyffantod sy'n byw yn y dyfnderoedd yn denu'u prae trwy ddefnyddio'u llewyrch. Gwae unrhyw bysgodyn sy'n dod yn rhy agos at y geg agored fawr – caiff ei fwyta'n syth!

14 Chwerwddwr y môr Cropian ar waelod y môr y bydd y rhan fwyaf o rywogaeth chwerwddwr y môr, gan sugno'r dyddodion meddal, eu llyncu a threulio unrhyw beth sy'n fwytadwy ynddo. Ond gall ambell rywogaeth, fel yr un yn y llun, nofio ychydig hefyd.

15 Safngrwn Dyma un o'r creaduriaid sy'n fforio yn y dyfnderoedd; bydd y safngrwn llysnafeddog yn twrio i ysgerbwd anifail marw er mwyn eu bwyta o'r tu mewn allan. Mae ganddo drwyn mor fain nes gallu arogli bwyd o bellter mawr.

RIFFIAU CWREL A CHYLCHYNYSOEDD

Ynysoedd cwrel trofannol yw rhai o ecosystemau cyfoethocaf y Ddaear. Mae eu cyfoeth yn dibynnu ar y berthynas rhwng cwrel (clystyrau o anifeiliaid bach sy'n perthyn i anemonïau) a chreaduriaid meicrosgopig sy'n byw yn eu meinweoedd a sy'n creu bwyd drwy ffotosynthesis. Am fod y creaduriaid hyn angen golau i greu ynni, rhaid i gwrel dyfu mewn dyfroedd clir, bas, heulog o gwmpas arfordiroedd ac ynysoedd trofannol. Dyma gartref ystod eang o greaduriaid y môr, o bysgod pitw bach i gregyn bylchog enfawr.

❶ BARRIFFIAU A CHYLCHYNYSOEDD

Ffurfiodd llawer o riffiau cwrel o gwmpas llosgfynyddoedd marw sy'n suddo o dan eu pwysau eu hunain yn araf bach. Bydd y cwrel byw'n dal i dyfu am i fyny wrth i graig sylfaen yr ynys suddo er mwyn creu barriff oddi ar y lan sy'n creu lagŵn gysgodol. Pan sudda'r llosgfynydd o ynys wreiddiol o dan y dŵr y cyfan a welir yw cylch o gwrel gydag ynys dywodlyd yn ei chanol weithiau, a elwir yn gylchynys.

❷ CWREL CAREGOG

Anifeiliaid bach crwn gyda chylch o freichiau sy'n pigo yw polypau cwrel. Maen nhw'n byw mewn clystyrau cysylltiol sy'n ffurfio canghennau, haenau llydan, blociau enfawr a siapiau eraill. Caiff y clystyrau eu cynnal gan ysgerbydau o galchfaen sy'n cael eu creu gan y cwrel. Pan fydd cwrelau unigol yn marw, bydd y calchfaen yn aros. Bydd cwrel byw yn tyfu ar ben y cwrel marw, felly bydd y calchfaen yn tyfu'n raddol yn riffiau caregog.

❸ PYSGOD Y RIFF

Nid yw pwysau'r pysgod sy'n byw ar rîff cwrel (yr hyn a elwir yn fio-màs) yn drwm iawn o'i gymharu â chynefinoedd morol eraill, ond ceir amrywiaeth enfawr o rywogaethau. Maen nhw wedi esblygu am fod cynifer o ffyrdd o fyw ar y rîff. Bydd rhai, fel y parot môr, yn bwyta'r cwrel. Bydd eraill yn bwyta algâu, yn dal plancton neu'n hela'i gilydd.

❹ ANIFEILIAID DI-ASGWRN-CEFN

Bydd pob math o greadur di-asgwrn-cefn lliwgar yn byw ar y rîff, gan gynnwys corgimychiaid bach, gwlithod môr lliwgar a chregyn pigfain marwol o wenwynig. Y mwyaf yw'r gragen fylchog enfawr sy'n debyg i gwrel am fod miloedd o greaduriaid ffotosynthetig, o'r enw söocsanthelau, yn byw yn eu meinweoedd. Bydd y rhain yn rhoi siwgr i'r gragen fylchog yn gyfnewid am faethau y bydd y gragen yn ei chael drwy hidlo plancton o'r dŵr.

❺ YNYSOEDD CWREL

Mae de-orllewin trofannol y Môr Tawel yn frith o ddegau o filoedd o ynysoedd cwrel. Mae'r rhan fwyaf ohonynt yn rhy fach i'w henwi, gan godi prin fetr allan o'r môr, ond ceir coed cnau coco a choed eraill yn tyfu ar rai eraill. Byddan nhw'n darparu llecyn i nythu ar gyfer adar y môr, tra bo crwbanod y môr yn magu eu teuluoedd ar y traethau.

❻ BYGYTHIADAU

Bydd cwrelau caregog trofannol yn ffynnu pan fydd tymheredd y môr rhwng 20 – 29°C (68–84°F). Os yw'r dŵr yn cynhesu mwy na hyn, gallant gael gwared ar y partneriaid meicrosgopig sy'n creu eu bwyd, gan droi'n wyn. Gall canlyniadau hynny fod yn drychinebus. Yr enw am hyn yw cannu cwrel, ac mae'n dod yn fwy a mwy o fygythiad i riffiau cwrel wrth i dymheredd y cefnfor godi. Bygythiad arall yw seren fôr goron-ddrain, sy'n bwyta cwrel. Gall genhedlu'n gyflym a dinistrio ardaloedd eang o gwrel.

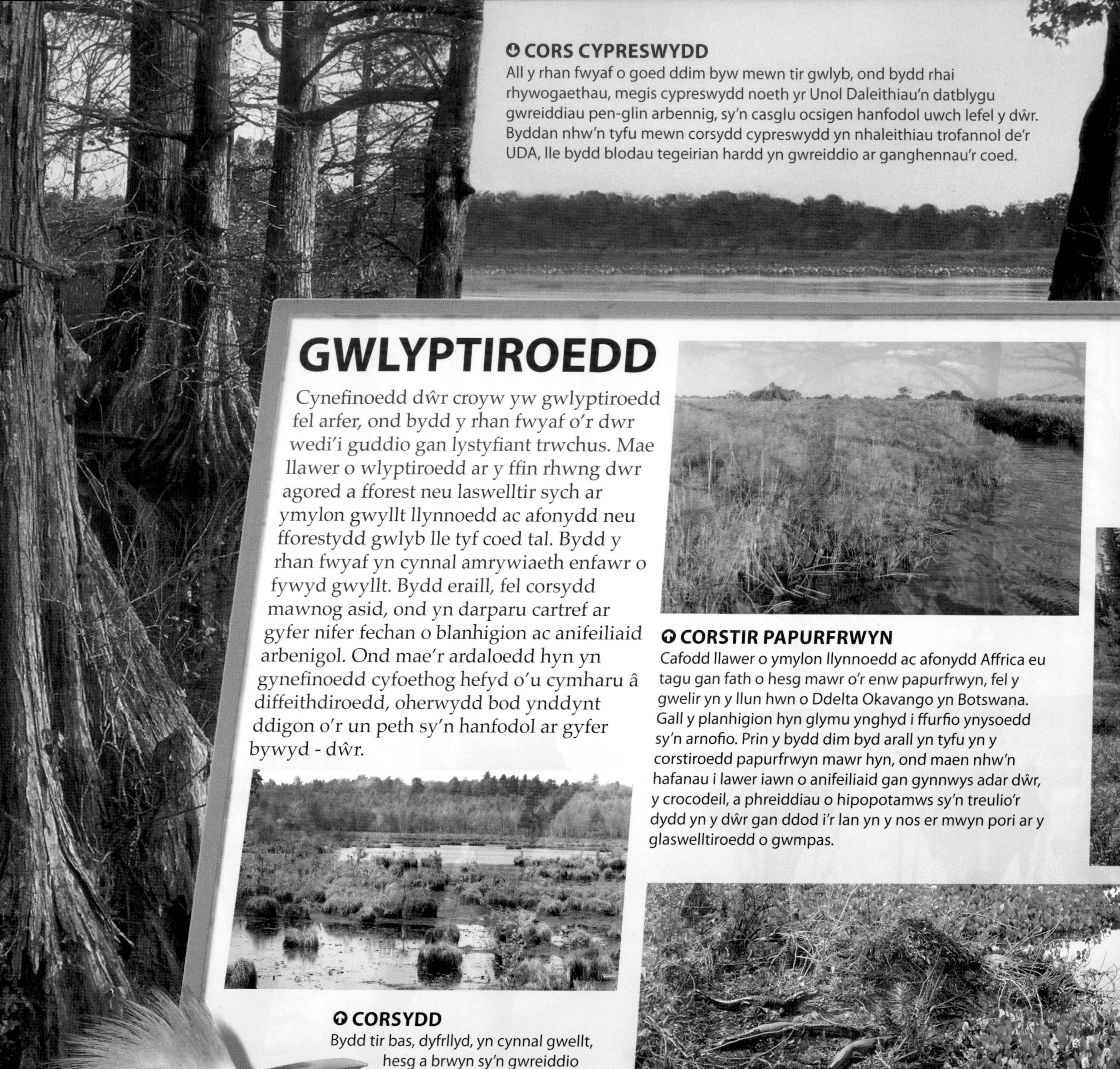

CORS CYPRESWYDD
All y rhan fwyaf o goed ddim byw mewn tir gwlyb, ond bydd rhai rhywogaethau, megis cypreswydd noeth yr Unol Daleithiau'n datblygu gwreiddiau pen-glin arbennig, sy'n casglu ocsigen hanfodol uwch lefel y dŵr. Byddan nhw'n tyfu mewn corsydd cypreswydd yn nhaleithiau trofannol de'r UDA, lle bydd blodau tegeirian hardd yn gwreiddio ar ganghennau'r coed.

GWLYPTIROEDD

Cynefinoedd dŵr croyw yw gwlyptiroedd fel arfer, ond bydd y rhan fwyaf o'r dwr wedi'i guddio gan lystyfiant trwchus. Mae llawer o wlyptiroedd ar y ffin rhwng dwr agored a fforest neu laswelltir sych ar ymylon gwyllt llynnoedd ac afonydd neu fforestydd gwlyb lle tyf coed tal. Bydd y rhan fwyaf yn cynnal amrywiaeth enfawr o fywyd gwyllt. Bydd eraill, fel corsydd mawnog asid, ond yn darparu cartref ar gyfer nifer fechan o blanhigion ac anifeiliaid arbenigol. Ond mae'r ardaloedd hyn yn gynefinoedd cyfoethog hefyd o'u cymharu â diffeithdiroedd, oherwydd bod ynddynt ddigon o'r un peth sy'n hanfodol ar gyfer bywyd - dŵr.

CORSTIR PAPURFRWYN
Cafodd llawer o ymylon llynnoedd ac afonydd Affrica eu tagu gan fath o hesg mawr o'r enw papurfrwyn, fel y gwelir yn y llun hwn o Ddelta Okavango yn Botswana. Gall y planhigion hyn glymu ynghyd i ffurfio ynysoedd sy'n arnofio. Prin y bydd dim byd arall yn tyfu yn y corstiroedd papurfrwyn mawr hyn, ond maen nhw'n hafanau i lawer iawn o anifeiliaid gan gynnwys adar dŵr, y crocodeil, a phreiddiau o hipopotamws sy'n treulio'r dydd yn y dŵr gan ddod i'r lan yn y nos er mwyn pori ar y glaswelltiroedd o gwmpas.

CORSYDD
Bydd tir bas, dyfrllyd, yn cynnal gwellt, hesg a brwyn sy'n gwreiddio mewn mwd a ffurfio cors. Wrth i'r planhigion farw dydyn nhw ddim yn pydru yn y dull arferol yn y tir gwlyb, gan droi'n fawn yn lle. Ymhen amser, bydd coed sy'n gallu dygymod â thir gwlyb, megis helyg a gwern, yn gwreiddio, gan sychu'r mawn a throi'r gors yn goedwig.

Crëyr y gwartheg

CORSTIR MANGROF

Bydd coed bythwyrdd mangrof, sy'n gallu tyfu mewn pridd hallt, dyfrllyd, oherwydd newidiadau i'w gwreiddiau yn debyg i rai cypreswydd, i'w gweld ar arfordiroedd a morfeydd trofannol cysgodol. Bydd y coedwigoedd mangrof yn cael eu boddi gan y llanw uchel, gan roi hafan i lawer o bysgod. Pan ddaw'r trai datgelir corsydd mwdlyd, yn llawn o grancod llygatgoch a physgod sy'n anadlu awyr o'r enw neidwyr mwd.

CORS FAWNOG ASID

Mewn ardaloedd gwlyb, oerllyd, bydd mwsogl o'r enw migwyn yn tyfu dros weddillion dyfrllyd planhigion, gan greu corsydd mawnog asid. Fydd y rhan fwyaf o blanhigion ddim yn byw yn y tir asid, anffrwythlon hwn, sy'n ddigon cyffredin yng Nghymru, ond ceir ambell un megis magl y pryfed, sy'n bwyta clêr a mosgitos ac sy'n magus yn y pyllau mawnog.

CORSTIR Y TWNDRA

Yn y gogledd pell, bydd fforestydd bythwyrdd yn troi'n dwndra agored o gwmpas y pegwn. Yma, bydd y tir wedi rhewi'n barhaol o dan yr wyneb. Bydd arwyneb y tir yn dadmer yn yr haf, ond o dano all y dŵr ddim dianc gan fod y rhew yn ei atal rhag draenio i ffwrdd, felly try'r twndra'n gors ddyfrllyd. Mae'n debyg i gors fawnog ond dipyn yn oerach, a dim ond ambell blanhigyn gwydn all oroesi'r cyfuniad o bridd gwlyb, gwyntoedd iasol a rhew'r gaeaf.

CORSTIR TROFANNOL TYMHOROL

Yn ystod tymor gwlyb y trofannau, bydd yr afonydd mawr sy'n gwagio o'r fforestydd a'r glaswelltiroedd yn gorlifo i foddi'r tir. Yn ne ardal yr Amason, bydd hyn yn creu'r Pantanal, sy'n gorchuddio 195,000 km sgwâr (75,000 milltir sgwâr) pan fydd y gorlif ar ei anterth. Hwn felly yw gwlyptir mwya'r byd. Daw'r ardal gyfan yn gynefin ar gyfer anifeiliaid dŵr fel y caimanod sbectolog hyn debyg i grocodeil), yr anaconda fwya'r byd – a dyfrgi mawr yr afon.

MORFA HELI

Mewn aberoedd mwdlyd yn yr ardaloedd tymherus, bydd planhigion byr sy'n gallu dioddef halen yn tyfu, gan greu morfa heli. Nesaf at yr arfordir, gwelir planhigion a gwellt tew, ond bydd ardaloedd eraill yn cynnal llwyni bach. Bydd amrywiaeth o anifeiliaid bach yn byw yma, megis llygoden ŷd y morfa heli, sy'n brin iawn ac ond yn byw yng Nghaliffornia.

Broga dringol llygatgoch, Canolbarth America

FFORESTYDD

Yr enwau a rown ar goed sy'n tyfu mor agos at ei gilydd nes bod eu corun yn creu un canopi parhaus, yw fforest neu goedwig. Ni all coed dyfu mor agos at ei gilydd mewn ardaloedd sych, felly dim ond lle bydd glaw rheolaidd neu lle bydd hi'n ddigon oer fel na fydd y tir byth yn sychu'n llwyr y ceir fforestydd. Bydd planhigion eraill yn tyfu rhwng y coed pan fydd digon o olau iddyn nhw dyfu. Mae'r coed hefyd yn gynefin llawn bwyd i lawer o anifeiliaid gwahanol.

FFOREST LAW TROFANNOL

Mae glaw trwm a thymheredd uchel drwy'r flwyddyn ger y cyhydedd yn creu amodau perffaith i goed dyfu, a dyma rai o fforestydd mwyaf toreithiog y byd. Coed bytholwyrdd gyda dail llydan sy'n tyfu'n uchel dros ben a geir yma. Mae hyn yn creu cynefin amlhaenog sy'n berwi o fywyd - y rhan fwyaf ohono'n byw yn uchel uwch llawr y fforest.

Mwnci gwlanog, yr Amason

COEDWIG SYCH

Bydd dail bregus coed y fforestydd glaw yn marw mewn sychder hir, felly esblygodd coed sy'n byw mewn hinsawdd sychach, megis ardal Môr y Canoldir neu fforestydd ewcalypt, ddail mwy gwydn. Mae gan ddail y derw corc hyn haenau allanol tewach i'w harbed rhag sychu. Casglwyd rhisgl y coed i'w droi'n gorc.

FFOREST LAW DYMHERUS

Nid dim ond yn y trofannau y ceir fforestydd glaw. Bydd coed tebyg hefyd yn byw mewn fforestydd glaw tymherus, lle bydd yr hinsawdd yn oerach ond yn dal yn wlyb iawn, a gaeafau mwyn heb fawr ddim rhew. Dyma fforestydd Japan, Seland Newydd a Tasmania, a dyma hefyd yw fforestydd coed pren-coch mawr arfordir gogleddol y Môr Tawel yng Ngogledd America.

Rosela gwyrdd, Tasmania

FFOREST GONIFFER

Bydd coed conifferaidd megis cypreswydd a chedrwydd sy'n tyfu mewn ardaloedd sych wedi datblygu dail sy'n ddim mwy na nodwyddau cwyraidd i arafu sychu. Bydd y math hwn o ddail hefyd yn gwrthsefyll rhew, felly coniferau â dail nodwydd megis pinwydd a sbriws sydd fwyaf amlwg yn y fforestydd taiga oer sy'n creu gwregys mawr o gwmpas gogledd y byd – drwy Alasca, Canada, Sgandinafia a Rwsia.

FFOREST FAMBŴ

Ledled y byd, ceir fforestydd lle gwelir un math arbennig o goeden yn tyfu. Yn anarferol, y 'goeden' fwyaf amlwg yn fforestydd de-orllewin China yw bambŵ, math o wellt mawr. Gyda'r rhododendron, bydd yn ffurfio prysgwydd trwchus o dan goed tal, gan ddarparu bwyd ar gyfer y panda mawr, sy'n bwyta bambŵ.

FFOREST EWCALYPT SYCH

Mathau amrywiol o ewcalypt yw'r rhan fwyaf o goed cynhenid Awstralia, a cheir tua 450 rhywogaeth wahanol. Bydd eu rhisgl yn gallu gwrthsefyll tân a'u dail trwchus fel lledr yn araf i sychu yng ngwres yr haul. Mae'r dail yn llawn o olew sy'n rhoi blas cas iddyn nhw, ond er gwaethaf hyn, dyma unig fwyd y coala, sydd wedi addasu'n arbennig i'w treulio.

FFORESTYDD COLLDDAIL TYMHERUS

Mewn ardaloedd tymherus, datblygodd rhai coed, fel derw, ffawydd a masarn, ddail tenau, bregus sy'n manteisio'n llwyr ar haul yr haf i greu bwyd drwy ffotosynthesis. Bydd y dail hyn yn troi'n frown, yn marw ac yn disgyn wrth i'r gaeaf nesu, a daw côt newydd o ddail yn y gwanwyn.

SAFANA AFFRICA

Moroedd eang o wellt ac ambell goeden acasia a baobab wydn yma ac acw yw glaswelltiroedd trofannol Affrica. Dim ond ychydig o laswelltiroedd y byd, megis Peithiau'r Serengeti yn Tansanïa sydd wedi llwyddo i gynnal y bywyd gwyllt gwreiddiol oedd yno. Bydd preiddiau mawr o antelopiaid a sebraod yn mudo ar draws y peithiau i chwilio am y lleoedd gorau i bori. Nhw, yn eu tro, yw bwyd helwyr fel llewod ac udfilod.

GLASWELLTIROEDD

Mewn ardaloedd sy'n rhy sych i fforestydd dyfu, ond nad ydyn nhw'n ddigon sych i'w galw'n ddiffeithwch, glaswellt yw'r tyfiant naturiol. Bydd planhigion eraill i'w gweld yma ac acw rhwng y gwair, gan gynnwys ambell goeden, ond y gwellt sydd fwyaf amlwg. Bydd glaswelltiroedd tymherus yn sych gydol y flwyddyn fel arfer ond mewn glaswelltiroedd trofannol, ceir tymor gwlyb hir am yn ail â sychder mawr. Byddan nhw'n cynnal preiddiau mawr o famaliaid sy'n pori, a bydd rhai o'r anifeiliaid hyn yn mudo dros bellteroedd mawr i fanteisio ar dyfiant tymhorol y glaswellt gorau.

PAMPAS

Datblygodd sawl ardal o laswelltir yng nghysgod yr ochr draw i gadwyni o fynyddoedd uchel, sy'n dal y glaw a ddaw gyda'r gwynt. Yn Ne America, bydd mynyddoedd yr Andes yn tynnu pob gwlybaniaeth o'r gwyntoedd sy'n chwythu o'r Môr Tawel, felly ceir y Pampas claear a sych yn y tiroedd sydd yng nghysgod y glaw, i'r dwyrain o'r mynyddoedd.

Llygoden y paith gynffon ddu

PAITH GOGLEDD AMERICA

Arferai tiroedd sych canol Gogledd America fod yn laswelltir eang, lle porai preiddiau crwydrol enfawr o fuail (bison) ac antelopiaid corn main. Dyma hefyd gartref llygod y paith, math o wiwer ddaear, fyddai'n byw mewn cymuned fawr – mwy na rhai dinasoedd. Erbyn hyn, tir amaeth yw'r rhan fwyaf o'r glaswelltir gwreiddiol hwnnw, ond erys ambell ddarn fel y bu.

STEPDIR ASIA

Datblygodd glaswelltiroedd tymherus canolbarth Ewrasia yng nghalon y cyfandir, a cheir yma hafau poeth, sych, a gaeafau oer, sych. Fel llawer o laswelltiroedd eraill, arferent fod yn gartref i breiddiau mawr o anifeiliaid yn pori, megis antelop saiga a cheffylau gwyllt, ond erbyn heddiw, y mamaliaid gwyllt mwyaf niferus yw rhywogaethau bach fel y wiwer ddaear hon.

GLASWELLTIROEDD Y MYNYDDOEDD

Ar fynyddoedd, uwchlaw llinell y coed, neu'r man uchaf y bydd coed yn gallu tyfu, y bydd glaswelltir yn datblygu. Maent yn debyg i'r twndra, lle bydd planhigion gwydn sy'n gallu gwrthsefyll misoedd caled o eira a gwyntoedd main, oer, yn tyfu. Gall y rhain fod yn lleoedd anial, ond lle mae'r graig sylfaen yn galchfaen sy'n llawn o faeth, gall y glaswelltiroedd fod yn llawn o flodau lliwgar, fel bysedd y cŵn alpaidd melyn, sy'n cael ei ddefnyddio gan yr iâr fach yr haf yn y llun fel le i orffwys.

SAFANA INDIA

Fel llawer o laswelltiroedd, trowyd y rhan fwyaf o safana India yn dir amaeth, ond erys ambell ddarn yn y bryniau ac ar ymylon y diffeithwch. Ceir un o'r ardaloedd prin hynny wrth droed mynyddoedd yr Himalaia yng ngogledd India, lle bydd glaw'r monsŵn yn annog y gwellt i dyfu'n hir. Yno, gall teigrod hela heb gael eu gweld yn hawdd.

CERRADO BRASIL

O boptu i fforestydd yr Amason, ceir dau ddarn mawr o laswelltir trofannol – y Llanos i'r gogledd a'r Cerrado i'r dwyrain. Cynefin cyfoethog yw'r Cerrado, sy'n troi'n raddol yn fforest balmwydd lle mae hi'n fwy gwlyb ac yn hanner diffeithwch yn y de sych. Mae'n gartref i amrywiaeth eang o anifeiliaid, fel y rhea, aderyn tebyg i estrys, a'r morgrugysor mawr rhyfeddol.

GWYLLTIROEDD (BUSH) AWSTRALIA

Gorchuddir llawer o Awstralia gan laswelltir sych, sy'n troi'n ddiffeithwch yng nghanol sych grimp y cyfandir. Pigwellt yw'r prif dyfiant, math gwydn o weunwellt, ac ambell goeden ewcalyptws a llwyni yma ac acw. Bydd tanau'n sgubo ar draws y glaswelltir yn gyson, ond addasodd y planhigion i ddygymod â hyn ac, yn wir, mae angen y tân ar rai ohonynt i genhedlu.

Y DIFFEITHWCH

Bydd diffeithwch yn datblygu mewn ardaloedd sych iawn ynghanol cyfandiroedd, mewn ardaloedd sydd wedi'u cysgodi rhag y glaw gan fynyddoedd uchel, neu yn y parth diffeithwch is-drofannol, lle bydd awyr sych, wrth ddisgyn, yn rhwystro cymylau rhag ffurfio. Prin yw'r llystyfiant a dim ond y planhigion sy'n gallu gwrthsefyll sychder, fel y cacti, y fflamgoed (euphorbia) a llwyni gwydn, sy'n goroesi yma. O blith yr anifeiliaid, trychfilod, corynod, sgorpionau ac ymlusgiaid sydd i'w gweld amlaf, ond mae ambell aderyn a llai o famaliaid. Anifeiliaid crwydrol yw'r ychydig greaduriaid mawr, a bydd y rhai llai'n cuddio mewn tyllau yn ystod y dydd gan ymddangos yn y nos.

Gall sagwaro dyfu hyd at 12m (40 troedfedd)

Dryw'r cactws yn eistedd ar flodyn sagwaro

DIFFEITHWCH ATACAMA

Diffeithwch Atacama yw'r sychaf yn y byd, ac fe'i ceir ar hyd arfordir gogledd-orllewin Chile, lle daw'r unig leithder oddi wrth niwl yn symud i mewn o'r Môr Tawel. Bydd hyn yn cynnal ychydig bach o lystyfiant mewn mannau, gan ddarparu bwyd i'r gwanacos (sy'n perthyn i lamas) ond anialdir anffrwythlon yw gweddill y diffeithwch hwn.

DIFFEITHWCH SONORA

Mae Diffeithwch Sonora, sy'n un o gasgliad o ddiffeithdiroedd yn ne-orllewin yr UDA a Mecsico, yn enwog am y cacti sagwaro enfawr a'r carpedi o flodau byrhoedlog sy'n blodeuo o ganlyniad i law'r gaeaf. I'r gogledd, mae Anialwch Mojave, lle mae Dyffryn Angau (Death Valley) enwog – y lle poethaf yn yr UDA, lle cyrhaeddodd y tymheredd uchafswm o 57°C (134°F).

DIFFEITHWCH PATAGONIA

Wrth i wyntoedd y cefnfor chwythu tua'r dwyrain dros fynyddoedd yr Andes deheuol, collant bob diferyn o leithder ar ochrau gorllewinol y mynyddoedd. Does braidd ddim glaw yn disgyn i'r dwyrain felly, gan greu diffeithwch claear Patagonia – tir caregog, anffrwythlon lle bydd ychydig o anifeiliaid gwydn, fel yr armadilo blewog hwn, yn byw.

Sgorpion

➲ DIFFEITHWCH Y CALAHARI

Yng nghanolbarth de cyfandir Affrica, mae'r Calahari'n gymysgedd o anialwch tywodlyd yn llawn o sgorpionau, a glaswelltiroedd lle gwelir ambell goeden. Yn yr ardal hon y mae Delta'r Ocafango, olion llyn cynhanesyddol enfawr, sy'n llenwi â dŵr yn ystod y tymor glawog, gan greu un o hafanau bywyd gwyllt prin mwyaf Affrica.

➲ DIFFEITHWCH Y GOBI

Ardal wastad, uchel, ddi-ddŵr a charegog ym Mongolia a gogledd China yw Diffeithwch y Gobi. Mae gwres yr haf yn annioddefol o boeth a'r gaeafau'n rhewi'n gorn. Y rheswm ei fod mor sych yw am ei fod mor bell o'r môr. Ni cheir yr un planhigyn dros ardaloedd eang, ond bydd camelod Bactria, asynnod gwyllt a gafrewigod yn goroesi yma trwy grwydro'n bell i chwilio am fwyd.

➲ DIFFEITHWCH ARABIA

Dyma'r anialwch tywodlyd clasurol, gyda thwyni tywod enfawr yn y Parth Gwag tua'r de, sydd yn gorchuddio ardal yr un mor fawr â Ffrainc. Nid oes yma ddim bywyd gwyllt bron, ond o dan y tywod ceir gwaddod sy'n llawn o olew, gan ddod â chyfoeth i'r ychydig bobl sy'n byw yma.

Diffeithwch y Gobi

Diffeithwch Arabia

Diffeithwch Awstralia

➲ SAHARA

Diffeithwch mwyaf y byd, o bell ffordd, yw'r Sahara, sy'n gorchuddio dros 9 miliwn km sgwâr (3.5 miliwn milltir sgwâr). Mae yma foroedd tywod enfawr, a thwyni mor uchel â 300m (970 troedfedd), ac eangderau o raean a chraig noeth. Yma ac acw ceir gwerddonau lle mae'r tir yn llaith, a bydd palmwydd a llwyni pigog yn tyfu yma. Bydd pobl y diffeithwch yn gallu cael dŵr gwerthfawr yma hefyd.

Mae'r crwb yn storio bloneg

Camel Bactria

Mae'r corynod yma'n cyfathrebu drwy daro'r tywod gyda'u coesau

Leucorchestris arenicola

➲ DIFFEITHWCH NAMIB

Ar hyd arfordir Môr Iwerydd yn Namibia, dyma fersiwn Affrica o'r Atacama – diffeithwch arfordirol a grëwyd gan y gwyntoedd sy'n chwythu o'r lan tua'r môr. Pan fydd y gwynt oer yn chwythu'r ffordd arall, daw â niwl o'r môr sy'n cynnal yr anifeiliaid a'r planhigion prin sydd yn yr ardal, fel y corryn gwyn hwn.

Diafol pigog

Bydd y croen cennog yn ei atal rhag sychu

➲ DIFFEITHWCH AWSTRALIA

Anialwch yw tua 40% o Awstralia, lle ceir ardaloedd eang o dywod coch a chraig noeth, gyda llwyni yma ac acw. Ond mae yma greaduriaid yn byw – nadroedd gwenwynig, madfallod fel y diafol pigog hwn sy'n bwyta morgrug, adar crwydrol a mamaliaid bolgodog cynhenid. Ond mae llawer o'r rheiny'n brin bellach am eu bod yn cystadlu yn erbyn cwningod am adnoddau pitw.

TIR A ADFEDDIANNWYD
Mae'r holl flodau tiwlip hyn yn creu golygfa wefreiddiol yn y gwanwyn ar gaeau bylbiau ger Lisse yn yr Iseldiroedd. Tirwedd hollol ffug a arweiniodd at y patrwm geometrig hwn, a grëwyd ar dir wedi'i adfeddiannu

Dylanwad dyn

FFERMIO

Dechreuodd pobl ffermio'r tir ar ddiwedd Oes y Cerrig. Ers hynny, cafodd ffermio fwy o ddylanwad ar y tir nag unrhyw weithgarwch dynol arall, gan ddiddymu fforestydd, glaswelltir gwyllt a gwlyptiroedd er mwyn creu caeau i dyfu cnydau a magu anifeiliaid. Mewn ffermio cymysg traddodiadol, gosodir anifeiliaid i grwydro dros dir er mwyn gwrteithio'r pridd, a thyfir amrywiaeth o gnydau yn eu tro i osgoi achosi i afiechydon gydio. Ond gellir magu anifeiliaid heb dyfu cnydau. Bellach, trwy ddefnyddio gwrtaith artiffisial a phlaladdwyr gellir tyfu un cnwd gwerthfawr dro ar ôl tro yn yr un tir – er y gall hyn wneud niwed i'r tir ac i fywyd gwyllt.

❶ TORRI A LLOSGI

Yn y ffurf fwyaf sylfaenol o ffermio, mae angen clirio coed a phlanhigion gwyllt eraill o'r tir, cyn taenu lludw ac ynddo ddigon o nitrogen dros y pridd ac yna blannu cnydau. Pan fydd y tir yn stopio bod mor ffrwythlon, bydd y ffermwr yn symud i leoliad arall. Defnyddiwyd y dechneg hon o dorri a llosgi ers miloedd o flynyddoedd ac fe'i defnyddir o hyd yn y fforestydd trofannol. Gall weithio'n effeithiol ar raddfa fechan, ond wrth fynd ati i wneud hyn ar raddfa fawr, mae llai o le i symud ymlaen ato. Daw'r tir yn hesb a bydd yn ddiffaith ymhen dim.

❷ RANSIO

Ffurf sylfaenol arall ar ffermio yw honno sy'n gofyn am roi preiddiau o anifeiliaid fferm i bori dros ardaloedd eang o dir, a'u porthi ar blanhigion gwyllt yn unig. Fel arfer fydd dim ffens o gwmpas y tir, a bydd gofyn bugeilio'r anifeiliaid ar gefn ceffylau, fel y dengys y llun, yn Ecwador. Er nad oes angen plannu cnydau, bydd angen torri coedwigoedd a chael gwared ar anifeiliaid gwyllt sy'n pori, ac unrhyw reibwyr. Wrth i ardal gael ei phori, bydd yn newid, gan atal y rhan fwyaf o blanhigion rhag tyfu a chreu glaswelltir.

❸ FFERMIO CYMYSG

Wrth gyfyngu anifeiliaid fferm megis defaid a gwartheg mewn cae, gellir sicrhau bod unrhyw dom yn disgyn o fewn ardal benodedig, gan wrteithio'r tir. Gellir defnyddio'r cae i dyfu cnydau wedyn. Gellir ailadrodd y broses hon dro ar ôl tro, yn enwedig wrth amrywio'r cnydau er mwyn sicrhau bod pob cnwd yn tynnu maethyn gwahanol o'r pridd. Tyfir rhai cnydau ar gyfer bwydo anifeiliaid, tra bo eraill yn cael eu cynaeafu a'u bwyta neu werthu.

❹ FFERMIO UNGNWD

Bydd gwrteithiau modern yn caniatáu i'r un cnwd gael ei blannu yn yr un cae bob blwyddyn heb angen tail anifeiliaid. Mae hyn yn galluogi ffermwyr i arbenigo mewn cnydau sy'n rhoi'r elw gorau, gan beri i fferm gyfan ganolbwyntio ar dyfu un cynnyrch, megis gwenith. Yn anffodus, mae'r math hyn o ffermio ungnwd yn andwyol i fywyd gwyllt, yn rhannol am fod chwyn a thrychfilod yn cael eu cadw dan reolaeth gan gemegau, a pharodd hyn i ambell rywogaeth ddod i ddibyn ebargofiant.

5 TYFU REIS

Bu ambell ffurf o amaethu'n arbenigol iawn ers y cychwyn. Mae hyn yn cynnwys ffermio reis, sy'n tyfu orau mewn caeau dan ddŵr. Yma yn Bali, lluniwyd terasau ar ochrau'r bryniau i greu grisiau o gaeau reis. Yn anffodus, bydd microbau yn y pridd gwlyb yn sugno carbon o'r planhigion a'i droi'n fethan, un o'r nwyon sy'n achosi newid yn yr hinsawdd. Mae tyfu reis yn gyfrifol am dros 10% o bob allyriad methan.

6 DIFFEITHWCH GWYRDD

Gall technoleg fodern ei gwneud hi'n bosib i dyfu cnydau yn y diffeithwch, hyd yn oed, gan ddefnyddio dŵr wedi'i chwistrellu o systemau dyfrio enfawr. Gall y rhain deithio'n araf dros y tir, gan greu caeau gwyrdd hirsgwar o gnydau neu gallant droi i greu cylchoedd gwyrddion. Ond gall anweddu mewn hinsawdd poeth achosi i halenau gynyddu yn y pridd, felly ni ellir defnyddio'r tir fel hyn am amser maith. Yn y pen draw, daw'n rhy hallt i dyfu unrhyw gnwd o gwbl.

MWYNGLODDIO

Am filoedd o flynyddoedd, bu pobl yn cloddio am fetelau megis aur, arian a chopr er mwyn llunio offer, arfau a thlysau ohonyn nhw. Rywbryd, darganfuwyd bod cynhesu mwynau metelau mwy niferus mewn ffwrneisi golosg yn gwahanu'r metelau pur, gan arwain at ddefnydd helaeth o ddeunyddiau fel haearn. Cloddiwyd am fwynau eraill megis fflint, cerrig adeiladu a gemau hefyd ers y cyfnod cynhanesyddol. Yn fwy diweddar, daethpwyd o hyd i danwydd megis glo, olew a nwy naturiol. Tri phrif ddull o gloddio sydd, sef chwarela, mwyngloddio siafftau dwfn neu ddrilio i'r ddaear i godi cronfeydd o olew a nwy tanddaearol.

❶ CHWAREL GERRIG

Bu cerrig adeiladu'n werthfawr erioed. Arferai pobl eu naddu a'u siapio ag offer llaw yn wreiddiol, ond bellach bydd yn cael ei danio o chwarel drwy ddefnyddio ffrwydron wedi'u gosod yn ofalus, neu drwy eu torri allan gan beiriannau arbenigol. Marmor Cararra yw'r garreg sy'n cael ei chloddio yn y llun, o'r Eidal, un o'r cerrig gorau yn y byd. Cafodd ei defnyddio ers cyfnod y Rhufeiniaid ar gyfer adeiladau crand a cherfluniau fel gwaith Michelangelo.

❹ PANIO AM AUR

Am fod aur yn bodoli'n naturiol yn ei ffurf gysefin, gall pobl gael gafael arno gan ddefnyddio dulliau sylfaenol iawn, megis panio. I wneud hyn, rhaid golchi dŵr drwy waddod sy'n cynnwys aur er mwyn golchi'r darnau ysgafnach i ffwrdd a gadael yr aur ar ôl. Ond mae aur mor brin nes peri mai dim ond ambell ronyn bach o'r metel gwerthfawr fydd gan y bobl hyn yn Fietnam ar ôl dyddiau o weithio.

1

4

2

❷ CLODDIO BRIG

Pan fydd mwynau'n agos at wyneb y tir, gallant gael eu tyrchu trwy gloddio cloddfa neu bwll brig. Cloddiwyd cloddfa Hafn Bingham yn Utah, UDA ers 1908, a bellach dyma'r twll artiffisial mwyaf ar y Ddaear. Mae'r pwll yn 1.2 km (0.75 milltir) o ddyfnder ac yn mesur 4 km (2.5 milltir) ar draws.

3

❸ CLODDIO HYDROLIG

Gellir tyrchu metelau trwm fel aur o waddod meddal gan ddefnyddio pibelli dŵr dan bwysau. Mae'r egwyddor yn debyg i banio, ond ei fod yn prosesu llawer mwy o ddeunydd. Golchir y gwaddod drwy lifddorau enfawr sy'n dal gafael ar y metelau tra bo'r gwaddod yn golchi i ffwrdd gyda'r dŵr. Gall y broses fod yn andwyol iawn, serch hynny, gan olchi bryniau cyfan i ffwrdd a llygru afonydd.

❺ PWLL EMRALLT

Diwydiant mawr yw cloddio fel arfer, sy'n defnyddio peiriannau mawr drud. Ond mewn rhannau o'r byd bydd gemau ac aur gwerthfawr yn dal i gael eu cloddio trwy lafur pobl, yn rhannol o leiaf. Ym mhwll emrallt Muzo yng Ngholombia, De America, bydd gan y gweithwyr hawl i fentro'u lwc â chaib a rhaw – a hyd yn oed eu dwylo, un diwrnod bob mis, yn y gobaith o gloddio gwerth ffortiwn mewn gemau.

concrid sydd mor hanfodol ar gyfer y diwydiant adeiladu. Cesglir graean o waelod y môr hefyd gan ddefnyddio llongau carthu mawr. Caiff rhai mathau pur iawn o dywod cwarts eu cloddio er mwyn gwneud gwydr a cheir pyllai clai, yng Nghernyw er enghraifft, i'w defnyddio i wneud papur a phethau serameg.

❻ PWLL GLO

Y dull mwyaf peryglus a drud o gloddio yw hwnnw sy'n gofyn am dorri siafftiau dwfn a thalcenni hir er mwyn tyrchu mwynau'n bell o dan y ddaear. Fel hyn y bydd llawer o lo yn cael ei gloddio, gan ddefnyddio peiriannau mawr, fel hwn yn yr Almaen. Arferai fod llawer o byllau glo mawr a bach yng Nghymru ar un adeg. Rhaid draenio'r pwll, ei awyru'n dda i gael gwared ar nwy a'i oeri i ostwng y tymheredd uchel sy'n bodoli mor ddwfn o dan wyneb y ddaear.

❼ LLWYFAN OLEW

Hylif cymharol ysgafn yw olew crai, sy'n diferu i fyny drwy waddod tyllog nes cyrraedd haenen o graig nad yw'n gallu mynd drwyddo. Bydd yn crynhoi mewn cronfeydd tanddaearol, gyda nwy naturiol ar ei ben yn aml. Gellir tyrchu am y ddau beth trwy ddrilio drwy'r graig, ond dyw hi ddim yn hawdd dod o hyd i gronfeydd mawr. Ceir llawer o dan waelod moroedd bas, a gellir cael atynt trwy ddefnyddio llwyfannau olew morwrol fel hwn.

TRAFNIDIAETH A DIWYDIANT

Er mai ffermio a chloddio sydd wedi cael yr effaith mwyaf trawiadol ar y tir, mae diwydiant a thrafnidiaeth wedi gwneud mwy i newid bywydau pobl, siŵr o fod. Defnyddir cynnyrch diwydiant yn rheolaidd ledled y byd, bron, bellach, ac mae gan y rhan fwyaf o wledydd rwydweithiau trafnidiaeth sy'n symud y nwyddau hyn o le i le, ac sy'n caniatáu i bobl symud yn hawdd yr un modd. Ar y cyd â rhwydweithiau cyflenwi ynni, cyfathrebu, dŵr a systemau traenio, maent yn ffurfio 'isadeiledd' diwylliant sy'n rhan annatod o fywyd yn y byd datblygedig. Fyddai dinasoedd modern – nac yn wir fywyd modern – ddim yn gallu bodoli hebddo.

CYFLENWADAU YNNI
Bydd diwydiant, cartrefi a rhai mathau o drafnidiaeth yn dibynnu ar gyflenwad dibynadwy o drydan. Cynhyrchir rhyw gymaint ohono gan ddefnyddio ynni'r haul a'r gwynt, neu rym dŵr yn llifo. Bydd gorsafoedd eraill yn defnyddio adweithyddion ymbelydrol i gynhesu dŵr a gyrru tyrbinau ager. Bydd y rhan fwyaf, serch hynny, yn llosgi nwy neu lo ac maen nhw'n defnyddio llawer iawn o danwydd. Bydd gwaith sy'n llosgi glo i greu trydan yn defnyddio llond o leiaf 100 o'r tryciau rheilffordd mawr hyn o lo bob dydd.

LLONGAU
Un o'r dulliau hynaf o drafnidiaeth yw llongau, ond mae'n dal yn un o'r ffyrdd mwyaf effeithiol ar gyfer nwyddau trwm a thrwsgl. Yn y gorffennol, byddai llongau'n cael eu llwytho ger dociau dinasoedd, ond bellach rhoddir llwythi mewn blychau yn y ffatri a'u cludo ar hyd rheilffordd a heol i borthladd nwyddau arbenigol. Yma, caiff y blychau eu llwytho ar longau fel hon – sy'n gallu cario hyd at 7,500 blwch – i'w cludo i borthladdoedd tebyg ledled y byd.

RHEILFFYRDD
Ers canol y 19eg ganrif, bu'r rheilffyrdd yn llwybrau masnach hanfodol. Maen nhw'n dal yn bwysig ar gyfer cludo nwyddau trwm, megis y blychau hyn, y byddai un yn unig yn llond llwyth i lorri ar y ffordd. Am fod y rheilffordd yn llyfn a chymharol wastad, gall symud llwythi trymion gan ddefnyddio cymharol ychydig o ynni. Ond mae hi'n ddrud iawn adeiladu pob trac.

CLUDIANT AR YR HEOL
Bellach bydd llawer o nwyddau trwm a arferai deithio ar y rheilffordd yn cael eu cludo ar yr heol, gan ddefnyddio tryciau mawr fel y tancer hwn yn aml. Dyma ffordd lai effeithiol o ddefnyddio tanwydd na'r rheilffordd, ond mae yna fantais gan fod modd cludo nwyddau'n uniongyrchol i ben eu taith, yn hytrach nag i orsaf reilffordd all fod yn bell i ffwrdd. Ond mae lorïau fel hyn yn drwm iawn, gan gynyddu costau cynnal a chadw'r ffyrdd.

RHWYDWEITHIAU FFYRDD

Mae gan bob gwlad ddatblygedig rwydweithiau cymhleth o draffyrdd aml-lôn fel hon erbyn hyn, yn ogystal â heolydd bach mwy lleol. Y prif reswm dros ddatblygu'r traffyrdd yw bod gan gynifer o bobl eu car eu hun. Bellach mae tagfeydd traffig a llygredd yn datblygu'n broblemau difrifol, ac fe allai hynny arwain at leihad yn y defnydd o geir.

MEYSYDD AWYR

Mae teithio ar awyren ar gyfer busnes a hamdden bellach yn rhan arferol o fywyd i lawer o bobl, yn enwedig mewn gwledydd mawr fel yr Unol Daleithiau, lle bydd dinasoedd yn bell oddi wrth ei gilydd. Bydd meysydd awyr yn cael effaith mawr ar y tir, serch hynny ac mae sŵn awyrennau a llygredd yn broblemau difrifol. Dim ond yn rhannol y cafodd y problemau hyn eu gwella gan gynllunio awyrennau gwell. Cafodd y twf enfawr mewn hedfan i fynd ar wyliau effaith ddofn ar leoliadau twristaidd, gan droi cymunedau glan-môr yn gyrchfannau gwestai a diddymu'r ffyrdd traddodiadol o fyw yn y broses.

TRAFNIDIAETH YN Y DDINAS

Mae gan lawer o ddinasoedd systemau teithio cyflym sy'n galluogi i bobl fynd o gwmpas yn hawdd heb eu ceir. Mae'r dulliau'n cynnwys tramiau fel hwn yn ne Ffrainc, a threnau tanddaearol sy'n rhedeg o dan y strydoedd. Bydd y ddau ddull yn defnyddio traciau metel ac ynni trydanol, sy'n peri eu bod yn defnyddio cyn lleied o ynni â phosib. Mae'n debygol y daw hyn yn fwyfwy pwysig yn y dyfodol wrth i bris tanwydd godi.

DINASOEDD

Tua 7,000 o flynyddoedd yn ôl, o ganlyniad i ddatblygu ffermio yng ngwlad hynafol Mesopotamia – Irac heddiw – crëwyd gormodedd o gyfoeth fu'n hwb i dwf y dinasoedd cyntaf. Ers hynny, lledodd yr arfer o fyw mewn dinasoedd ledled y byd, ond tan yn ddiweddar byddai'r rhan fwyaf o bobl yn dal i fyw mewn cymunedau bychain. Heddiw, mae mwy na hanner poblogaeth y byd yn byw mewn dinasoedd, ac mae rhai o'r dinasoedd hynny'n enfawr. Amgylchynwyd llawer dinas hanesyddol gan ddatblygiadau modern, a thrawsnewidiwyd eraill gan adeiladau tal, modern.

❶ TINERHIR
Mae dinas hynafol Tinerhir ym Moroco yn bur debyg i'r dinasoedd cynharaf oll. Adeiladwyd y tai o frics mwd a'u gwahanu gan lonydd bach cul yn hytrach na strydoedd llydan sy'n addas i gerbydau. Lleolir y dref rhwng dwy werddon sy'n darparu dŵr yfed hanfodol, ac o gwmpas y ddinas ceir tir ffermio a choedlannau olewydd fyddai wedi bod yn brif ffynhonnell cyfoeth y trigolion tan yn ddiweddar.

❷ ATHEN
Ganed y syniad o ddinas fel crud diwylliant mewn gwladwriaethau dinesig fel Athen tua 2,500 mlynedd yn ôl. Gwleidyddion Athen sy'n cael y clod am ddyfeisio democratiaeth fodern. Mae llawer o adeiladau'r cyfnod yn dal i sefyll, gan gynnwys y Parthenon, a welir yma. Fe'i hadeiladwyd tua 44CC, ac mae'n dal i edrych dros y ddinas.

❸ MACHU PICCHU
Adeiladwyd y ddinas drawiadol hon gan lwyth yr Inca ym Mheriw tua 1460. Er ei bod wedi'i lleoli'n uchel ym mynyddoedd yr Andes, mae ganddi gyflenwad dŵr dibynadwy a digon o dir amaeth ar derasau i gynnal y boblogaeth a fyddai wedi byw yno. Gadawodd pawb y lle tua chanrif ar ôl ei hadeiladu – oherwydd clefyd, yn fwy na thebyg – ac mae'n adfail bellach.

❹ CARCASSONNE
Yn y gorffennol, byddai dinasoedd cyfoethog yn adeiladu caer o'u cwmpas i'w diogelu rhag ymosodwyr. Mae gan Carcassonne, yn ne Ffrainc ei chylchoedd dwbl o waliau caerog hyd heddiw. Ymestynnwyd y dref y tu allan i'r amddiffynfeydd o 1250 ymlaen, ond dinistriwyd y ddinas is hon yn ddiweddarach gan fyddin wrth iddi ymosod – sy'n profi gwerth cael waliau hynafol!

❺ FENIS
Codwyd y dinasoedd cyfoethocaf gydag arian a enillwyd trwy fasnachu. Yn ystod yr Oesodd Canol daeth masnach gyda'r dwyrain â chyfoeth mawr i Fenis, dinas a adeiladwyd ar 118 o ynysoedd mewn morlyn bas ar arfordir gogledd yr Eidal. Oherwydd ei phalasau a'i heglwysi niferus, sy'n codi'n syth o'r dŵr, mae hi'n un o ddinasoedd harddaf y byd.

❻ PARIS
Adeiladwyd y rhan fwyaf o hen ddinasoedd dipyn wrth dipyn, gan arwain at strydoedd cul, troellog ac amrywiaeth mawr o adeiladau. Yn y 19eg ganrif, ailadeiladwyd llawer o Baris, prifddinas Ffrainc, gan osod dinas wedi'i chynllunio o gwmpas rhwydwaith drefnus o goedlannau llydan yn lle'r hen ddinas. Defnyddir y math hwn o gynllunio'n aml bellach mewn dinasoedd newydd, gan ychwanegu parciau a systemau ffyrdd wedi'u cynllunio ar gyfer trafnidiaeth gyflym.

❼ TOKYO
Ynghyd â'i chymdogion Yokohama, Kawasaki a Chiba, Tokyo yw dinas fwya'r byd, lle mae dros 30 miliwn o bobl yn byw. Bron iddi gael ei dinistrio'n llwyr gan ddaeargryn yn 1923. Ers hynny, cafodd llawer o adeiladau aml-lawr eu codi, yn debyg i lawer o ddinasoedd cyfoethocaf y byd. Mae'r tyrau ffrâm dur yn gallu gwrthsefyll daeargryn yn well nag adeiladau cerrig traddodiadol.

❽ TREF SIANTI
Mae dinasoedd yn fannau cyfoethog sy'n denu pobl sy'n chwilio am waith. Dydy pobl yn aml ddim yn gallu fforddio byw yng nghanol y ddinas, ac mewn rhai gwledydd, ceir trefi sianti tlawd yn amgylchynu dinasoedd cyfoethog, lle bydd gweithwyr tlawd a'u teuluoedd yn byw. Does yno ddim system carthffosiaeth na dŵr glân addas, a bydd llawer o glefydau yno.

コッチウイスキー ホワイトマッカイ
大和銀行
住友不動産ホーム
7
8
3
4

AMGYLCHEDD A CHADWRAETH

Dros y ganrif ddiwethaf, cynyddodd poblogaeth y byd o 1.5 biliwn i dros 6 biliwn. Rhaid i'r holl bobl hyn fyw yn rhywle, a rhaid iddyn nhw fwyta. Maen nhw hefyd yn defnyddio ynni, a bydd y rhan fwyaf bellach yn hawlio moethau technoleg fodern. O ganlyniad, adeiladwyd ar ben erwau lawer o anialdiroedd, neu eu troi'n dir amaeth. Bob dydd llosgir llawer iawn o lo, olew a nwy ar ffurf tanwydd, a chynhyrchir peth wmbredd o wastraff a llygredd. Mae bywyd gwyllt a sefydlogrwydd yr hinsawdd o dan fygythiad, ac mae ein dyfodol ni'n dibynnu ar ddatrys y broblem.

❶ LLYGREDD DIWYDIANT

Bydd ffatrïoedd a gweithfeydd ynni'r byd diwydiannol yn taflu pentyrrau o nwy gwastraff i'r atmosffer bob dydd. Carbon deuocsid ac ocsid nitraidd yw llawer ohono, sy'n achosi cynhesu bydeang. Mae pethau eraill sy'n llygru yn cynnwys sylffwr deuocsid, sy'n cyfuno ag anwedd dŵr yn yr awyr i ffurfio glaw asid, a phlu huddygl sy'n creu mwrllwch (smog).

❷ ALLYRIADAU TRAFNIDIAETH

Bydd llawer modd o deithio – yn enwedig ar ffyrdd ac yn yr awyr – yn dibynnu ar losgi tanwydd hydrocarbon sy'n deillio o olew. Mae hyn yn rhyddhau llawer iawn o nwyon gwastraff i'r awyr, yn enwedig carbon deuocsid. Cynlluniwyd ceir modern i leihau ar hyn, ond gwelir mwy o geir ar yr heol bob blwyddyn. Mae allyriadau gan awyrennau, fry yn yr awyr, yn cael effaith arbennig o ddifrifol.

❸ SBWRIEL

Tan ganol yr ugeinfed ganrif, byddai modd i'r rhan fwyaf o sbwriel a gynhyrchid gennym gael ei bydru'n naturiol. Mewn gwrthgyferbyniad, mae hi bron yn amhosibl dinistrio'r rhan fwyaf o bethau plastig oni bai eu bod yn cael eu llosgi, sy'n creu llygredd. O ganlyniad, mae llawer o wledydd yn dioddef problem sbwriel gynyddol. Mae dinas Efrog Newydd yn cynhyrchu 12,000 tunnell o wastraff domestig bob dydd.

❹ AFONYDD LLYGREDIG

Mae dŵr glân, croyw yn adnodd hanfodol, ond mae afonydd a nentydd yn cael eu llygru ledled y byd gan wastraff o ddiwydiant a charthffosiaeth. Gall hyn wenwyno bywyd gwyllt ac achosi clefydau difrifol fel y geri (cholera). Wrth i wrtaith draenio oddi ar dir amaeth i afonydd, caiff cydbwysedd natur ei amharu. Mae torri coedwigoedd hefyd yn achosi i bridd gael ei sgubo i afonydd gan law trwm, gan dagu'r dŵr.

❺ LLYGREDD YN Y MÔR

Mae'r cefnforoedd yn enfawr, ond cânt eu heffeithio gan lygredd er gwaethaf hynny. Pan fydd olew yn llifo i'r môr gall fod yn drychineb i fywyd gwyllt, fel y pengwin yn y llun, ac mae olew sy'n dod i'r lan yr un mor ddinistriol. Lleddir morloi, crwbanod y môr ac adar y môr gan blastig sy'n arnofio, a bydd sŵn injans llongau yn peri i forfilod fynd ar goll a mynd yn sownd ar draethau – a marw yno.

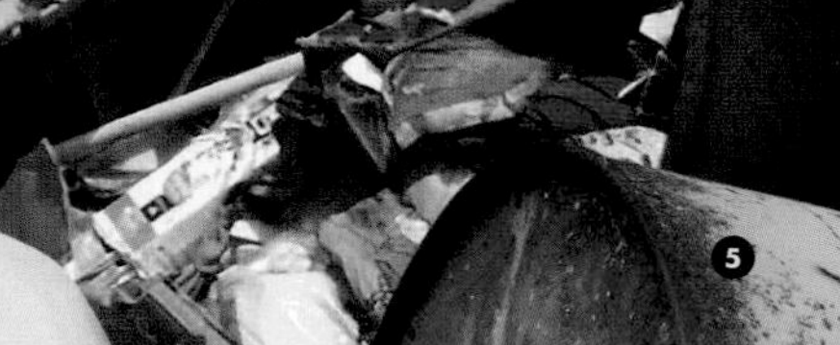

❻ TORRI FFORESTYDD

Dros yr 50 mlynedd ddiwethaf, torrwyd dros hanner coedwigoedd glaw y byd, a'u llosgi. Mae cyflymder torri'r fforestydd yn cyflymu, gan ddinistrio un o gynefinoedd mwyaf cyfoethog y byd a pheryglu parhad miloedd o rywogaethau o blanhigion ac anifeiliaid. Mae hefyd yn cynyddu faint o garbon deuocsid sydd yn yr atmosffer, gan gyfrannu at newid yn yr hinsawdd.

❼ NEWID HINSAWDD

Am fod cymaint o garbon deuocsid a nwyon tŷ gwydr eraill yn llygru'r atmosffer, mae'n cynhesu, gan godi tymheredd y byd. Mae iâ'r pegynau'n dadmer, ac erbyn 2050 – os nad cyn hynny – efallai na fydd dim iâ o gwbl ym Mhegwn y Gogledd yn yr haf. Gallai hyn ddifa eirth gwyn am byth, ac os bydd y llenni iâ'n toddi, gallai lefel y môr godi o 25m (82 troedfedd) gan foddi'r rhan fwyaf o ddinasoedd arfordirol y byd.

❽ CADWRAETH

Mae dynoliaeth yn dibynnu ar y rhwydwaith o fywyd sy'n cynhyrchu ein bwyd ac sy'n gwneud yr aer yn lân er mwyn i ni anadlu. Gallwn helpu i ddiogelu ei dyfodol trwy warchod bywyd gwyllt yn y mannau gwyllt, a thrwy weithio i arafu newid hinsawdd. Gall cadwraeth ddarparu arian twristiaeth ar gyfer gwledydd fel Cenia, lle gellir gweld bywyd gwyllt syfrdanol o hyd.

❾ ARBED YNNI

Bydd pobl yn y byd diwydiannol yn defnyddio llawer iawn o ynni bob dydd, a chynhyrchir llawer ohono trwy ddulliau sy'n ychwanegu at newid hinsawdd. Gallwn ostwng ein defnydd o ynni drwy fyw mewn tai sydd angen llai o wresogi neu awyru, a thai sy'n creu ynni. Cynlluniwyd y tai 'carbon-niwtral' hyn yn Llundain i gynhyrchu pob ynni sydd ei angen arnyn nhw drwy ffynonellau fel paneli solar.

❿ MEDDWL AR GYFER Y DYFODOL

Rydym wedi creu llawer o broblemau amgylcheddol trwy ddefnyddio adnoddau prin i gynhyrchu pethau sy'n cael eu taflu i ffwrdd, neu drwy wastraffu ynni wrth symud nwyddau ar draws y byd. Bydd llawer o bobl yn ceisio ailddefnyddio ac ailgylchu pethau'n amlach erbyn hyn, a thrwy brynu nwyddau mewn marchnadoedd fel hwn yn y llun, gallant arbed ynni a brwydro i ymladd newid yn yr hinsawdd.

Geirfa

ALGÂU
Protistiaid tebyg i blanhigion sy'n gallu gwneud bwyd drwy ddefnyddio ynni'r Haul. Ungell yw'r rhan fwyaf ohonynt ond gallant gynnwys gwymon.

ALOI
Cymysgedd artiffisial o ddau fetel gwahanol

ANTISEICLON
System dywydd gwasgedd uchel lle bydd aer oer sy'n suddo'n creu awyr digwmwl.

ANWEDD DŴR
Y nwy anweledig sy'n ffurfio pan fydd moleciwlau dŵr yn llawn o ynni yn dianc i'r aer.

ANWEDDFAEN
Deunydd solet fel halen sy'n weddill ar ôl i gymysgedd hylifol, fel heli, anweddu.

ANWEDDU
Troi o fod yn hylif i fod yn nwy.

ASTEROID
Rhywbeth eithaf bach, creigiog, o siâp anghyson, sy'n cylchdroi o gwmpas yr Haul.

ATMOSFFER
Yr haenau o nwy sy'n amgylchynu'r Ddaear, â disgyrchiant yn eu dal yn eu lle.

ATOM
Gronyn lleiaf elfen megis haearn. Mae gan sylweddau cyfun, fel dŵr fwy nag un math o atom.

BACTERIA
Creaduriaid bychan bach ag iddynt strwythur ungell syml.

BIOSFFER
Rhwydwaith bywyd sy'n bodoli ar wyneb y Ddaear neu'n agos ati.

BYDYSAWD
Yr holl ofod, gan gynnwys pob un o'r galaethau.

CALCHFAEN
Craig a wnaed o galsid (calch) sy'n gallu toddi'n hawdd mewn ddŵr glaw asidig. ffurfir y rhan fwyaf o galchfaen o ysgerbydau creaduriaid morol.

CALDERA
Twll enfawr sy'n ffurfio pan fydd llosgfynydd yn dymchwel i'w siambr fagma ar ôl i honno gael ei gwagio yn ystod ffrwydrad.

CARBOHYDRAD
Rhywbeth, fel siwgr neu starts, a wneir o garbon, hydrogen ac ocsigen gan greadur byw, megis planhigyn.

CARBON DEUOCSID
Nwy sy'n cyfri am ran fach iawn o'r atmosffer. Bydd pethau byw, megis planhigion, yn ei ddefnyddio i wneud bwyd carbohydrad.

COMED
Peth sy'n cylchdroi yn y gofod, a wnaed o iâ a llwch. Bydd rhai comedau'n pasio'n agos at yr Haul ar adegau prin, a bydd ei wres yn peri iddyn nhw ddangos eu cynffonnau hirion.

CRAIG WADDOD
Craig a ffurfiodd o dywod, mwd neu waddod eraill, ar ôl iddynt gael eu gwasgu a chaledu.

CRISIAL
Rhywbeth fel gem a all ffurfio pan fydd hylif yn troi'n solet. Bydd ei siâp yn cael ei benderfynu gan drefn ei atomau.

CRONFA
Storfa naturiol neu artiffisial o hylif – dŵr, fel arfer.

CYANOBACTERIA
Bacteria sy'n gallu defnyddio ynni'r Haul i wneud siwgr o garbon deuocsid a dŵr.

CYDDWYSO
Newid o nwy i hylif

CYFANSAWDD
Rhywbeth sy'n cynnwys dwy elfen neu ragor, a ffurfiwyd gan adwaith gwyddonol sy'n clymu atomau at ei gilydd.

DARGLUDO
Y symudiad sy'n digwydd i gerrynt mewn nwyon a hylifau, megis aer a dŵr, a hyd yn oed graig boeth, hylifol, oherwydd gwahaniaethau mewn tymheredd.

DISGYRCHIANT
Y grym sy'n denu pethau at ei gilydd yn y Gofod. Po fwyaf fo'r peth, cryfaf yw ei ddisgyrchiant.

DYFFRYN HOLLT
Ardal lle syrthiodd rhan o gramen y Ddaear i mewn i'r hollt a ffurfiodd wrth iddo dorri.

ECOSYSTEM
Cymuned ryngweithiol o bethau byw yn eu hamgylchedd naturiol.

EFFAITH TŶ GWYDR
Y ffordd y bydd rhai nwyon yn yr atmosffer yn amsugno gwres a adlewyrchwyd gan y Ddaear, yn cynhesu ac yn cadw'r blaned yn gynhesach nag y byddai fel arall.

ELFEN
Rhywbeth sy'n cynnwys un math o atom yn unig.

ERYDU
Pan fydd rhywbeth – craig, fel arfer, yn gwisgo o dan rymoedd naturiol megis dŵr yn llifo neu donnau'r môr yn torri ar y lan.

FFAWT
Hollt mewn craig, lle bydd y graig ar un ochr i'r hollt wedi symud o'i chymharu â'r graig ar yr ochr arall.

FFAWT TRAWSFFURFIO
Ffin rhwng platiau neu haenau o gramen y Ddaear, lle byddan nhw'n symud ochr yn ochr i'w gilydd.

FFIORD
Cwm dwfn ar yr arfordir a gerfiwyd gan rewlif, ac a foddwyd gan y môr bellach.

FFOSIL
Olion peth byw a gadwyd, fel arfer ar ffurf carreg, mewn craig waddod.

FFOTOSYNTHESIS
Y broses o ddefnyddio ynni goleuni i wneud siwgr allan o garbon deuocsid a dŵr.

FFYTOPLANCTON
Creaduriaid ungell, morol, bychan bach, sy'n arnofio. Byddan nhw'n creu eu bwyd eu hunain drwy broses a elwir yn ffotosynthesis.

GALAETH
Llawer o filiynau o sêr yn y Gofod, sydd fel arfer yn cylchdroi o gwmpas canolbwynt.

GWADDOD
Gronynnau solet, megis cerrig, tywod a mwd sydd wedi cael eu symud gan ddŵr, gwynt, iâ neu ddisgyrchiant, gan ymlonyddu, fel arfer mewn haenen.

GWASGEDD ISEL
Enw arall am seiclon.

GWRTAITH
Cymysgedd o faetholion planhigion a ddefnyddir i hybu tyfiant planhigion.

HINSAWDD
Tywydd arferol unrhyw ardal, a phatrwm tymhorol arferol ei thywydd.

HINSAWDD FOROL
Hinsawdd sy'n drwm dan ddylanwad cefnfor cyfagos. Fel arfer bydd yn golygu gaeafau mwyn, hafau claear a glaw cyson gydol y flwyddyn.

HOLLT
Toriad mewn creigiau, neu yng nghramen y Ddaear, sy'n lledu wrth i'r creigiau dynnu ar wahân.

IGNEAIDD
Craig a grëwyd gan fagma wrth iddo oeri neu gan lafa folcanig. Crisialau sy'n ffurfio cadwynau yw'r rhan fwyaf o greigiau igneaidd neu losgfeini, ac maen nhw'n galed iawn.

LAFA
Craig hylifol sy'n ffrwydro o losgfynydd.

LLWYFANDIR
Ardal eang o dir sydd mewn ucheldir.

LLYGREDD
Unrhyw beth a ychwanegir at yr amgylchedd naturiol neu sy'n tarfu ar gydbwysedd natur.

MAETHION
Pethau y bydd eu hangen ar greaduriaid byw i greu meinweoedd.

MAGMA
Craig hylifol sy'n bodoli oddi mewn i gramen y Ddaear neu o dani.

MAN GWAN
Parth o weithgaredd folcanig a achoswyd gan lif cyson o wres o dan gramen y Ddaear. Lle bydd y gramen yn symud, bydd y man gwan yn creu cadwyni o losgfynyddoedd.

MANTELL
Yr haenen ddofn o graig boeth sy'n gorwedd rhwng cramen y Ddaear a'r crombil. Mae'n ffurfio 84 y cant o'r blaned.

MARIAN
Pentwr o wastraff creigiau a gludwyd gan rewlif, neu a bentyrrwyd lle daeth y rhewlif i ben.

MAWN
Olion wedi'u gwasgu ynghyd o blanhigion nad ydyn nhw wedi pydru'n llwyr am fod dŵr wedi rhwystro ocsigen rhag peri i greaduriaid sy'n achosi pydredd i ffynnu.

MEINI MELLT
Darnau o graig y gofod sy'n goroesi plymio drwy'r atmosffer gan gyrraedd y Ddaear.

METAMORFFEDD
Ym myd daeareg, proses sy'n troi un math o graig yn fath arall, fel arfer o dan ddylanwad gwres uchel neu bwysau mawr, neu'r ddau.

MOLECIWL
Y darn lleiaf o sylwedd sy'n gallu bodoli heb dorri'r sylwedd yn elfennau y ffurfiwyd ef ohonynt. Bydd pob moleciwl wedi'i wneud o atomau'r elfennau hynny.

MONSŴN
Newid cyfeiriad tymhorol yn y gwynt sy'n effeithio ar y tywydd, yn arbennig yn yr ardaloedd trofannol ble bydd yn achosi tymhorau sych a gwlyb.

ORGANIG
Yn dechnegol, unrhyw beth sy'n seiliedig ar yr elfen carbon, ond fel arfer mae'n golygu unrhyw beth sydd –neu a fu unwaith – yn fyw.

PARTH ISLITHRO
Ardal lle bydd un plât tectonig yn plymio o dan un arall, gan greu ffos yn y cefnfor, gan achosi daeargrynfeydd a chreu craig boeth sy'n ffrwydro o losgfynyddoedd.

PEIRAN
Pant fel crater ger pen mynydd, a gerfiwyd gan iâ wrth iddo gynyddu i fwydo rhewlif.

PLANCTON
Ffurf ar fywyd sy'n arnofio mewn cefnforoedd, llynnoedd a dyfroedd eraill. Mae'r rhan fwyaf o blancton yn fychan iawn ac yn byw yn agos at yr wyneb.

PORFA
Glaswelltiroedd a ddefnyddir i fwydo anifeiliaid megis defaid a gwartheg.

PROTIST
Peth byw ar dir neu yn y môr sydd fel arfer yn cynnwys un gell gymhleth, megis y diatomau sy'n arnofio yn y môr, ond sydd hefyd yn cynnwys gwymon. Mae'r protistiaid yn un o'r pum parth byw.

RHEWLIF
Llawer o iâ a ffurfiwyd wrth i eira gael ei wasgu ynghyd; gall lifo am i lawr.

SAFANA
Glaswelltir trofannol.

SEICLON
System dywydd sy'n cynnwys cymylau, glaw a gwyntoedd cryfion, a achosir wrth i aer chwyrlïo i ardal o aer cynnes, llaith sy'n codi.

SEREN WIB
Darn o graig y gofod neu iâ sy'n plymio drwy'r atmosffer a llosgi ar ffurf meteor.

STRATA
Haenau o greigiau gwaddod.

SYCHDER
Cyfnod hir heb ddim glaw.

TECTONEG PLATIAU
Y broses symudol lle bydd y platiau mawr sy'n ffurfio cramen y Ddaear yn symud ynghyd neu ar wahân drwy'r amser.

TROFANNAU
Yr ardaloedd poeth i'r de a'r gogledd o'r Cyhydedd, rhwng Trofan Cancr a Throfan Capricorn.

TROPOSFFER
Haenen isaf atmosffer y Ddaear.

TSWNAMI
Ton forol nerthol a chyflym a gafodd ei chreu gan ddaeargryn ar waelod y môr, neu wrth i losgfynydd yn y môr ddymchwel.

TWNDRA
Tir oer, di-goed, diffrwyth gan fwyaf, a geir ar gyrion llenni iâ'r pegynau.

TYMHERUS
Hinsawdd nad yw'n rhy boeth nac yn rhy oer, neu ardal lle ceir y math hwn o hinsawdd.

YMASIAD NIWCLEAR
Y broses o beri i atomau dwy elfen lynu ynghyd i greu elfen drymach.

Mynegai

Cyfeiria'r rhifau mewn **teip trwm** at y prif gofnodion

Cydnabyddiaethau

Hoffai DK ddiolch i:
Kieran Macdonald am brawfddarllen, Chris Bernstein am baratoi'r mynegai, Fran Vargo am ymchwil lluniau ychwanegol, Dave King am ffotograffiaeth, Richard Ferguson am beirianwaith papur, a Simon Mumford am y mapiau.

Hoffai'r cyhoeddwyr ddiolch i'r canlynol am roi caniatâd caredig i atgynhyrchu eu ffotograffau:

Allwedd: u – uchod; i – isod / isaf; c – canol; e – eithaf; ch – chwith; dd – dde; t – top.

4 Corbis: Yann Arthus-Bertrand (dd); zefa/Frank Krahmer (ich). Landov: UPI Photo (tch). **5** Corbis: Yann Arthus-Bertrand (ch); epa/Ed Oudenaarden (dd). **6-7** Landov: UPI Photo.
8-9 NASA: JPL-Caltech. **10** Corbis: Denis Scott (dd). NASA: JPL (ch) (cdd). Science Photo Library: Californian Association for Research in Astronomy (ch). **10-11** NASA: SOHO (c).
11 NASA: JPL (cch) (cdd) (dd); USGS (ch).
12 NASA: JPL (ic) (idd) (tdd). Science Photo Library: Royal Observatory, Edinburgh/AAO (ch).
12-13 Corbis: Jonathan Blair. **13** NASA: Hubble Space Telescope (tdd). The Natural History Museum, London: (ic) (idd). Science Photo Library: Manfred Kage (cdd); Walter Pacholka/Astropics (tch). **14** Corbis: Bettmann (tc). NASA: (ich) (idd). Science Photo Library: RIA Novosti (tch). **14-15** NASA. **15** Corbis. NASA: (ich) (ic) (1/c) (2/c) (3/c) (4/c). Science Photo Library: John Sanford (t). **16** iStockphoto.com: Claude Dagenais (ich); Snezana Negovanovic (i).
Science Photo Library: Bonnier Publications/Henning Dalhoff (tdd); Mark Garlick (ic).
16-17 iStockphoto.com: Branko Miokovic.
17 iStockphoto.com: Nicholas Belton (tdd); Onur Döngel (cu); Alisa Foytik (idd); Igor Terekhov (ich). Science Photo Library: Mark Garlick (c).
18 iStockphoto.com: Angelo Gilardelli (b/cefndir); Linda Steward (i). NASA: (t).
The Natural History Museum, London: (cdd).
Photolibrary: Animals Animals/Breck P. Kent (c).
Science Photo Library: Joyce Photographics (cch).
19 DK Images: © Satellite Imagemap Copyright 1996-2003 Planetary Visions (tc).
21 iStockphoto.com: Jon Helgason (t). **23** Alamy Images: Lyroky (t). **24** Corbis: Gallo Images/Roger De La Harpe (ich); Didrik Johnck; NASA (cch).
FLPA: Terry Whittaker (idd). **25** Alamy Images: Ian Paterson (c). Photolibrary: Imagestate/Randa Bishop (cch); Stefan Mokrzecki (i). **26** James Jackson, Department of Earth Sciences, University of Cambridge: (t). Marli Miller / Department of Geological Sciences, University of Oregon: (idd). Science Photo Library: W.K. Fletcher (cch). **26-27** Getty Images: AFP.
27 Alamy Images: Images of Africa Photobank/David Keith Jones (tch). FLPA: Imagebroker/Konrad Wothe (tdd). Science Photo Library: Dr Ken MacDonald (i). **28** Corbis: Comet/Lloyd Cluff (ich). Science Photo Library: Gary Hincks (cdd).
28-29 iStockphoto.com: Beacon Hill Photography. **29** Corbis: George Hall (tdd); Lucid Images/Mark Downey (tch); Sygma/Xinhua (idd); Michael S. Yamashita (ich). **30** Alamy Images: Mark Lewis (t). DK Images: Andy Crawford/Donks Models - modelmaker (idd). iStockphoto.com: Floortje (ich). Science Photo Library: US Geological Survey (cdd). **30-31** iStockphoto.com: MBPhoto. **31** Alamy Images: Roger Coulam (cddi); Zach Holmes (c). Getty Images: Science Faction/G. Brad Lewis (ic). NASA: Aster (t).
32 Alamy Images: INTERFOTO Pressebildagentur (cdd). Getty Images: Photographer's Choice/Francesco Ruggeri (i); Stone/G. Brad Lewis (cch).
32-33 Science Photo Library: Stephen & Donna O'Meara. **33** Corbis: Comet/Gary Braasch (cch); NASA/Roger Ressmeyer (idd); Sean Sexton Collection (cdd); Sygma/Pierre Vauthey (c).
34 Alamy Images: David Muenker (ich); WoodyStock (tdd). Corbis: Frans Lanting (idd).
35 Alamy Images: James Kubrick (tdd); David Muenker (tch). Corbis: Ralph White (idd).
Photolibrary: age fotostock/Juan Carlos Munoz (ich). **36-37** Corbis: zefa/Frank Krahmer.
38 Alamy Images: Jack Clark Collection/Phil Degginger (3). The Natural History Museum, London: (6). **39** Alamy Images: GC Minerals (7).
Dreamstime.com: Lightprints (tch). The Natural History Museum, London: (8) (9). Science Photo Library: Mark. A. Schneider (10). **40** Alamy Images: WILDLIFE GmbH (10/t). Corbis: Visuals Unlimited (8/ch). Dreamstime.com: Araminta (1/dd); Egis (4/ch); Elnur (9/i); Fordphotouk (5/i); Galdzer (2/dd); Holligan78 (8/dd); Mhryciw (3/ch); Ptaxa (6/i). The Natural History Museum, London: (4/dd). Science Photo Library: Jean-Claude Revy, ISM (1/ch); Ben Johnson (2/ch) (3/dd) (6/t). **40-41** Alamy Images: Mira.
41 Corbis: Visuals Unlimited (11/ch). Dreamstime.com: Bernjuer (7/ch); Brent Hathaway (11/dd).
Science Photo Library: Arnold Fisher (7/dd).
42-43 Alamy Images: Hemis/Emilio Suetone.
44 Alamy Images: David Muenker (ich).
Photolibrary: Imagestate/Gavin Hellier (cdd).
44-45 www.dinodia.com: (t). **45** Graeme Peacock, www.graeme-peacock.com: (i). Photolibrary: JTB Photo (tdd). **46** Dreamstime.com: Milosluz (ic).
FLPA: Mark Newman (idd). Getty Images: Image Bank/Karin Slade (ich). Photolibrary: Jon Arnold Travel/James Montgomery (t). Science Photo Library: Fletcher & Baylis (ci). **47** Corbis: Visions of America/Joseph Sohm (cchu). Dreamstime.com: Dannyphoto80 (idd/goggles); Dingelstad (ich/gloves); Christopher Dodge (ic/tools).
FLPA: Imagebroker/Thomas Lammeyer (cddu).
Getty Images: Image Bank/David Sanger (cchi).
Photolibrary: Robert Harding Travel/James Emmerson (tch). **48** Alamy Images: nagelestock.com (tch); Robert Harding Picture Library Ltd/Ellen Rooney (idd). USGS: (ich). **48-49** ESA: (c).
iStockphoto.com: Valeria Titova. **49** FLPA: David Hosking (ich). Photolibrary: Robert Harding Travel/Tony Waltham (tch). stevebloom.com: (tdd). **50** Tony Waltham Geophotos: (1) (2) (3) (4) (5). **51** Tony Waltham Geophotos: (6) (7) (8).
52 Corbis: Annie Griffiths Belt (tch). iStockphoto.com: pixonaut (t/cefndir). The Natural History Museum, London: (ich). Science Photo Library: Lawrence Lawry (cddi). 53 Camera Press: Gamma/Benali Remi (3). Science Photo Library: Tom McHugh (6); MSF/Javier Trueba (4); Smithsonian Institute (5). **54** Alamy Images: Wild Places Photography/Chris Howes (ic). Corbis: Louie Psihoyos (ic/mewnosodiad); Scott T. Smith (idd).
Science Photo Library: Martin Bond (ich). **54-55** FLPA: Nicholas & Sherry Lu Aldridge.
55 Dreamstime.com: Joe Gough (ic/mewnosodiad); Pancaketom (t/mewnosodiad).
Science Photo Library: Martin Bond (ich) (idd); W.K. Fletcher (ic). **56** DK Images: Colin Keates/courtesy of the Natural History Museum, London (idd). iStockphoto.com: mikeuk (ich).
56-57 The Natural History Museum, London: (c).
57 Science Photo Library: Jean-Claude Revy, ISM (ich). **58** Alamy Images: Danita Delimont (etch). Dreamstime.com: Christopher Ewing (ic).
Science Photo Library: Simon Fraser (tdd); Edward Kinsman (cdd); Michael Szoenyi (tch).
58-59 DK Images/Colin Keates/courtesy of the Natural History Museum (c).
59 Dreamstime.com: Homestudiofoto (tch); Picturephoto (tdd). Science Photo Library: Joyce Photographics (cdd) (cu); Doug Martin (idd).
60 Alamy Images: blickwinkel/Schmidbauer (cdd); blickwinkel/Schmidbauer (3). Dreamstime.com: Dusty Cline (3/worms). iStockphoto.com: Marcin Pawinski (cdd); Csaba Zsarnowszky (ich).
Photolibrary: Animals Animals/Doug Wechsler (i); Animals Animals/Doug Wechsler (2). Tony Waltham Geophotos: (cch) (1). **61** iStockphoto.com: Richard Goerg (dd). Photolibrary: OSF/Iain Sarjeant (cdd); OSF/Iain Sarjeant (5). Tony Waltham Geophotos: (ich) (idd) (4) (6).
62-63 Corbis: Yann Arthus-Bertrand.
64 iStockphoto.com: Donna Poole (cch). Science Photo Library: Biosym Technologies/Clive Freeman (tdd) (cddu) (cddi); ESA/DLR/FU Berlin/G. Neukum (ich). **64-65** Dreamstime.com: Martin Green. **65** Alamy Images: bobo (ci); JLImages (ic). Science Photo Library: (tdd); John Mead (tch); Claire Ting (idd). **68** Alamy Images: Leslie Garland Picture Library/Alan Curtis (i).
Getty Images: Photonica/Kai Wiechmann (t).
Photolibrary: age fotostock/Andoni Canela (c). **69** Alamy Images: Guy Edwardes Photography (t); NASA (idd). Corbis: Ashley Cooper (c).
iStockphoto.com: techno. **70** NASA (tch). Corbis: Comet/Dale Spartas (cdd); Roger Ressmeyer (ich).
70-71 Corbis: Atlantide Phototravel/ Stefano Amantini. **71** Corbis: Torleif Svensson (cch).
naturepl.com: Jeremy Walker (cdd).
72 FLPA: Mark Newman (4). iStockphoto.com: Ryan Kelly (ic). **72-73** Alamy Images: Jupiterimages/Ablestock (i). **73** Alamy Images: John C. Doornkamp (1); Volvox Inc/Tsuneo Nakamura (5). Corbis: Tom Bean (2). FLPA: Minden Pictures/Colin Monteath (6); Malcolm Schuyl (7).
iStockphoto.com: Andy Hwang (t). Photolibrary: Robert Harding Travel/Dominic Harcourt Webster (3). **74** Alamy Images: Leslie Garland Picture Library/Vincent Lowe (1/mewnosodiad); Chuck Pefley (1). Corbis: JAI/Jon Arnold (2/mewnosodiad); zefa/Juergen Becker (2). Photolibrary: Index Stock Imagery/Eric Kamp (3). Science Photo Library: Kaj R. Svensson (3/mewnosodiad). **75** Alamy Images: Jeremy Inglis (6/mewnosodiad); Wolfgang Kaehler (5/mewnosodiad); Stan Pritchard (4/mewnosodiad). Corbis: William Whitehurst (4).
Photolibrary: Index Stock Imagery/Martin Paul Ltd. Inc. (5); Index Stock Imagery/Eric Kamp (6).
76 Corbis: zefa/José Fuste Raga (1). FLPA: Minden Pictures/Jim Brandenburg (2). Photolibrary: Index Stock Imagery/Craig J. Brown (3).
76-77 Alamy Images: Arco Images GmbH (t); David Cheshire. **77** Alamy Images: Arco Images GmbH (6); Kuttig-Travel (5); Nicholas Pitt (4).
78 Alamy Images: Anthony Baker (tc). Corbis: Arne Hodalic (tdd); George Steinmetz (tch).
Dreamstime.com: Jorge Folha (ic). iStockphoto.com: Jacqueline Hunkele (idd). **79** Alamy Images: Wild Places Photography/Chris Howes (idd/mewnosodiad). Corbis: Macduff Everton (tdd); Hans Strand (tc). Getty Images: Dorling Kindersley/Stephen Oliver (idd). iStockphoto.com: Tina Rencelj (ich). **80** Alamy Images: Steve Allen Travel Photography (2). Corbis: Roger Ressmeyer (1). National Geographic Stock: Medford Taylor (ich).
80-81 Corbis: Image Source. **81** Alamy Images: Design Pics Inc/Carson Ganci (5); Stephen Frink Collection/Masa Ushioda (3); Stock Connection Distribution/Tom Tracy (6). **82** Alamy Images: John Morgan (3). Corbis: Lawson Wood (2).
iStockphoto.com: Ryan Burke (tdd). Science Photo Library: Karsten Schneider (1).
82-83 iStockphoto.com: bravobravo (cefndir). **83** Alamy Images: Peter L. Hardy (6); Buddy Mays (5); Peter Titmuss (4). Corbis: NASA/Roger Ressmeyer (7). iStockphoto.com: appleuzr (tch); Philip Barker (ci); Ryan Burke (ich); Brandon Laufenberg (idd).
84 Corbis: Tiziana and Gianni Baldizzone (cdd).
Dreamstime.com: David Hughes (ich).
iStockphoto.com: DSGpro (ci). Science Photo Library: NASA (cch). **84-85** Alamy Images: moodboard. **85** Alamy Images: blickwinkel/Laule (tc); BrazilPhotos.com/Patricia Belo (ic). Science Photo Library: Dr Jeremy Burgess (ich). **86** Corbis: Brand X/The Stocktrek Corp (2); Ecoscene/Richard Glover (3). Science Photo Library: AGSTOCKUSA/Mike Boyatt (4); Claude Nuridsany & Marie Perennou (5). **87** Alamy Images: Pablo Paul (ich/mewnosodiad). Dreamstime.com: Drx (idd); Pyewackett (ich). Science Photo Library: Eurelios/Karim Agabi (cdd). **88** Dreamstime.com: Marc Dietrich (cu) (cddi); Barbara Helgason (tch); Beata Wojciechowska (cchi). Photolibrary: Animals Animals/Stephen Ingram (cddb/mewnosodiad). Science Photo Library: Sally McCrae Kuyper (cchb/mewnosodiad) (ca/mewnosodiad); Pekka Parviainen (tch/mewnosodiad). **88-89** Dreamstime.com: Mark Emge (t); Sebastian Kaulitzki (i).
iStockphoto.com: David H. Lewis (ic).
89 Dreamstime.com: Marc Dietrich (idd); Barbara Helgason (tch) (c) (tdd). Science Photo Library: Gustoimages (tch/mewnosodiad); Stephen J. Krasemann (tdd/mewnosodiad); John Mead (idd/mewnosodiad); David Parker (c/mewnosodiad). **90** Corbis: Tim Wright (idd).
Dreamstime.com: Jon Helgason (ich). Science Photo Library: Keith Kent (ich/mewnosodiad); Jim Reed (tdd). **90-91** Science Photo Library: Reed Timmer. **91** Corbis: epa/Skip Bolen (cch); Reuters/Mia Shanley (tdd). Dreamstime.com: Ann piaia (idd); Solarseven (cdd). Science Photo Library: NOAA (tch). **92** Alamy Images: ICP-Pano (5).
Corbis: Godong/Michel Gounot (3). FLPA: Minden Pictures/Michael & Patricia Fogden (2).
iStockphoto.com: Jakub Semeniuk (ich).
92-93 iStockphoto.com: Luca di Filippo (ic); fotosav. **93** Alamy Images: Gavin Hellier (6); Robert Harding Picture Library Ltd/Tony Waltham (7). Corbis: Robert Harding World Imagery/John Henry Claude Wilson (4). iStockphoto.com: Robert Payne (idd). Photolibrary: Picture Press/Thorsten Milse (8). **94-95** Corbis: Yann Arthus-Bertrand.
96 FLPA: Imagebroker/Alessandra Sarti (10); Minden Pictures/Norbert Wu (8). Science Photo Library: Alexis Rosenfeld (7); Peter Scoones (9).
96-97 Alamy Images: Marvin Dembinsky Photo Associates. **97** Science Photo Library: Michael Abbey (6); Christian Jegou Publiphoto Diffusion (11); Eye of Science (3); Steve Gschmeissner (5); Laboratory of Molecular Biology/Dr A. Lesk (2); Friedrich Saurer (12); Claire Ting (4). **98** Alamy Images: Andrew Darrington (ic); Scenics & Science (c). Ardea: Jean Paul Ferrero (cddi). FLPA: Ron Austing (ich); Imagebroker/Alessandra Sarti (cchi). Photolibrary: Flirt Collection/Chase Swift (idd). Science Photo Library: Jeff Lepore (cchu); David Scharf (tdd). **99** Alamy Images: Martin Harvey (i); Robert Harding Picture Library Ltd/Jack Jackson (idd/mewnosodiad i). Ardea: David Dixon (cchi); Jean Michel Labat (idd/mewnosodiad cri); Duncan Usher (ich).
Dreamstime.com: Sara Robinson (idd). FLPA: Imagebroker/Andreas Rose (idd/mewnosodiad t); Panda Photo (idd/mewnosodiad cddi). Science Photo Library: Dee Breger (tch); A.B. Dowsett (tdd); Eurelios/Philippe Plailly (cddu); Steve Gschmeissner (cchu) (cu); Maximilian Stock Ltd (tc). **100** Alamy Images: digitalunderwater.com (7); Stephen Frink Collection/Masa Ushioda (6).
Ardea: Roy Glen (1); Valerie Taylor (4). Corbis: Visuals Unlimited (1/tch). Dreamstime.com: Eline Spek (dd). FLPA: Gerard Lacz (3); D. P. Wilson (1/dd). Science Photo Library: Steve Gschmeissner (1/bch); Andrew Syred (2).
101 Ardea: Pat Morris (15). Corbis: Reuters/NOAA (14). FLPA: Minden Pictures/Bruce Robison (11); Minden Pictures/Norbert Wu (12). naturepl.com: Doug Perrine (5); David Shale (9) (10) (13).
102 Ardea: Auscape/Dr David Wachenfeld (ic) (cddi); Francois Gohier (2); Jean Michel Labat (cddu); Ken Lucas (ci); D. Parer & E. Parer-Cook (1); Gavin Parsons (tch) (ich) (idd) (tdd); Valerie Taylor (3). **103** Ardea: Kurt Amsler (ic) (cddi); Auscape/Dr David Wachenfeld (6); D. Parer & E. Parer-Cook (cdd); Valerie Taylor (t) (ich) (idd) (c). **104** Alamy Images: M. A. Battilana (ich); Konrad Zelazowski (cch). FLPA: David Hosking (cddu). Photolibrary: OSF/Richard Packwood (cddi). **104-105** FLPA: Minden Pictures/Tim Fitzharris. **105** Alamy Images: Mike Kipling Photography (cdd). Ardea: B. Moose Peterson (idd). Corbis: Momatiuk - Eastcott (cchi). Dreamstime.com: Nathalie Speliers Ufermann (cchu). Science Photo Library: Jim Edds (idd). **106** Alamy Images: Arco Images GmbH/F. Scholz; Redmond Durrell (tc). FLPA: David Hosking (ich); Jo Halpin Jones (cdd); Minden Pictures/Pete Oxford (tch).
107 FLPA: Elliott Neep (idd); Bob Gibbons; Tony Hamblin (tdd); Minden Pictures/Gerry Ellis (tch); Minden Pictures/Katherine Feng (ci); Martin B. Withers (ich). **108** Corbis: zefa/Schmitz-Söhnigen (c). FLPA: David Hosking (idd); Winfried Wisniewski. **108-109** iStockphoto.com: Patricia Hofmeester (c). **109** FLPA: Andrew Bailey (tdd); Elliott Neep (cdd); David Hosking (tch); Imagebroker/Alessandra Sarti (ich, x); Minden Pictures/Tui de Roy (idd). **110** Alamy Images: Kevin Schafer (idd). FLPA: S. & D. & K. Maslowski (ich); Minden Pictures/Tim Fitzharris; Minden Pictures/Tui de Roy (cch). **111** Alamy Images: Martin Harvey (ci); Jon Arnold Images Ltd/Jon Arnold (tdd); Thomas Lehne. FLPA: Frans Lanting (tc); Minden Pictures/Michael & Patricia Fogden (t); Ariadne Van Zandbergen (cch).
112-113 Corbis: epa/Ed Oudenaarden.
114 Corbis: Sygma/Herve Collart (1). FLPA: Minden Pictures/Pete Oxford (2). Photolibrary: Robin Smith (3). **114-115** Corbis: Denis Felix (i).
115 Alamy Images: Richard Cooke (4); Trip (6).
Corbis: Louie Psihoyos (5). Dreamstime.com: Astroid (tdd); Andrew Kazmierski (tch).
iStockphoto.com: Dieter K. Henke (ic); studiovancaspel (idd). **116** Corbis: Gary Braasch (1); H. David Seawell (2). Getty Images: Aurora/Robert Caputo (3/ch). Photolibrary: Robert Harding Travel/Sybil Sassoon (4). **116-17** Corbis: Brand X/Andersen Ross. **117** Alamy Images: INSADCO Photography/Willfried Gredler (8); Trip (5). Photolibrary: Imagestate RM/Stephen New (7). Still Pictures: Argus/Peter Frischmuth (6).
118 Alamy Images: Martin Jenkinson (t); Transtock Inc/Steve Crise (i). Corbis: epa/Hapag-Lloyd (ch); zefa/Roland Gerth (dd).
118-119 Corbis: Justin Guariglia. **119** Alamy Images: David R. Frazier Photolibrary, Inc (tdd).
Corbis: Ron Chapple (tch); Comet/Jean-Pierre Lescourret (i). **120** Alamy Images: nagelestock.com (2). Corbis: Yann Arthus-Bertrand (6); Hemis/Hervé Hughes (1); Sergio Pitamitz (5).
120-121 Alamy Images: Jon Arnold Images Ltd/Walter Bibikow. **121** Corbis: Darrell Gulin (3); Sygma/Les Stone (8). Getty Images: National Geographic/Jonathan S. Blair (4). **122** Alamy Images: Lou Linwei (2). Corbis: Flirt/W. Cody (1); Martin Harvey (5); Michael St. Maur Sheil (4).
122-123 Alamy Images: Simon Stirrup.
123 Alamy Images: Andrew Butterton (9); Images of Africa Photobank/David Keith Jones (8); Jacques Jangoux (6); Terrance Klassen (10); Stuart Yates (7)